D1488484

L'énigme argentine
Images d'une société en crise

Dans la même collection, chez le même éditeur

Canet, Raphaël, *Nationalismes et société au Québec*, 2003.

Canet, Raphaël, Duchastel, Jules (dir.), *La nation en débat. Entre modernité et postmodernité*, 2003.

Duchastel, Jules (dir.), *Fédéralismes et mondialisation : l'avenir de la démocratie et de la citoyenneté*, 2003.

Chaire de recherche du Canada en mondialisation, citoyenneté et démocratie

Les travaux de la Chaire de recherche du Canada en mondialisation, citoyenneté et démocratie (MCD) de l'Université du Québec à Montréal se concentrent sur les transformations des différentes sphères institutionnelles (politique, économique et culturelle) caractérisant les sociétés modernes ainsi que sur l'émergence de nouvelles formes de la citoyenneté, de la communauté politique, de la démocratie et de la justice sociale. L'objectif principal de ses recherches, se situant au cœur des enjeux suscités par les phénomènes de la mondialisation et de la fragmentation des sociétés, est de produire une théorie générale des nouvelles régulations politiques dans les sociétés démocratiques développées.

C'est, entre autres, par l'étude des diverses formes de la représentation (fondement philosophique, discours social, discours politique, discours expert) que ces profondes transformations sont abordées. Ainsi, sur le plan méthodologique, la Chaire MCD s'appuie sur le développement de méthodes d'analyse du discours assistée par ordinateur. Les conditions de production du discours sont prises en compte à travers l'analyse des transformations institutionnelles, tout autant que la contribution du discours à la production et à la reproduction des formes sociales (que ce soit les discours institutionnels de légitimation ou les discours de résistance).

Victor Armony

L'énigme argentine
Images d'une société en crise

Athéna éditions remercie le Conseil des arts du Canada de l'aide accordée à son programme de publication.

Page couverture   Bernard Langlois
Photos de la couverture   Enrique Galletto, journal *El Ciudadano*,
                          de Rosario

© Athéna éditions   Diffusion au Canada
C.P. 48883   Prologue
CSP Outremont   1650, boul. Lionel-Bertrand
Outremont (Québec)   Boisbriand (Québec)
H2V 4V3   J7H 1N7
athenaeditions.net   prologue@prologue.ca

Chaire de recherche du Canada en mondialisation,
citoyenneté et démocratie
www.chaire-mcd.ca

ISBN 2-922865-22-3
Dépôt légal – 1er trimestre 2004
Bibliothèque nationale du Canada
Bibliothèque nationale du Québec

Avant-propos

Ce livre est né de l'effort de répondre aux nombreuses questions qui m'ont été posées depuis le déclenchement de la « crise argentine » en décembre 2001. Des journalistes, des chercheurs, des étudiants et des amis m'ont demandé, encore et encore, *pourquoi* ? Pourquoi cette crise, pourquoi maintenant, pourquoi l'Argentine, pourquoi comme ça ? Je dois en ce sens les remercier, ainsi que tous ceux qui m'ont invité ces deux dernières années à prendre la parole dans des colloques, des conférences et des émissions de radio et de télévision[1]. Ces expériences m'ont obligé à m'interroger à nouveau sur les causes profondes du « mal argentin ». J'avais déjà exploré ce thème dans d'autres publications, notamment dans *Représenter la nation*[2]. Je m'y étais intéressé aux projets de société mis de l'avant par deux présidents : Raúl Alfonsín, emblème du processus de démocratisation amorcé en 1983, et Carlos

---

1. Plusieurs de ces interventions ont par la suite donné lieu à des textes publiés dans des journaux et des magazines : « Marasme en Argentine » (*Relations*, décembre 2001), « L'Argentine prisonnière de sa vision mythique » (*Le Devoir*, 22 janvier 2002), « El mito de la Argentina Potencia », (*Plan V*, janvier-février 2003), « Élections en Argentine. De l'indignation idéaliste à la revendication politique » (*Le Devoir*, 4 juin 2003), « Veinte años de discurso presidencial en democracia » (*Debate*, 13 juin 2003), « Argentine : l'espoir retrouvé ? » (*Relations*, août 2003), « L'Argentine, deux ans après la révolte citoyenne » (*Le Devoir*, 23 décembre 2003).

2. *Représenter la nation : le discours présidentiel de la transition démocratique en Argentine (1983-1993)*, Montréal, Balzac, 2000. J'en reprends ici plusieurs éléments, notamment dans les deux premiers chapitres.

Menem, artisan du virage néolibéral des années 1990. Mais l'Argentine qui a explosé en 2001 m'a forcé à revenir sur certaines idées que j'avais formulées. L'ampleur et la nature de la protestation citoyenne m'a pris, comme la plupart des observateurs, au dépourvu. Que s'était-il passé avec l'atomisation de la société, l'effritement de l'action collective, la résignation face au modèle économique du « sauve-qui-peut » ?

Si je dois retenir un dénominateur commun aux questions que j'ai entendues tout au long de 2002 et 2003, c'est la perplexité de la plupart des gens — spécialistes et non-spécialistes — au sujet du cas argentin. Comment est-on arrivé là ? Comment peut-on ruiner un pays qui est si riche, autant sur le plan économique que social et culturel ? Le titre du livre fait allusion à cet étonnement. Bien que je ne prétende pas détenir toutes les clés de l'énigme argentine, j'ai tenté de fournir au lecteur quelque pistes pouvant éclaircir un tant soit peu les racines historiques et actuelles de la crise. Beaucoup a été dit dernièrement sur l'Argentine, souvent de façon superficielle. Ceux qui s'intéressent aux enjeux auxquels la société argentine — comme d'autres pays latino-américains — fait face aujourd'hui trouveront dans ces pages beaucoup d'informations et d'analyses. Mon objectif a été d'offrir au lecteur qui sait peu ou rien de l'Argentine un portrait accessible, sans pour autant simplifier les choses outre mesure. Mais je tiens également à ce que ceux qui connaissent déjà l'Argentine y trouvent des éléments nouveaux, voire une perspective différente de celle qui a caractérisé la majorité des commentaires, soient-ils savants ou médiatiques. J'accorde, en effet, une importance particulière aux discours, aux identités et aux mythes qui structurent la vie collective.

J'ai une dette envers plusieurs personnes qui m'ont grandement aidé au cours de ce travail. Elena Bessa, mon assistante de recherche à l'Université du Québec à Montréal, a effectué les entrevues que j'analyse dans le chapitre 4. Le chapitre 5 est en partie le résultat d'une collaboration avec Gabriel Kessler, professeur à l'Université de General Sarmiento (Buenos Aires). Je dois remercier les organismes qui ont financé divers aspects de ma recherche, notamment le Fonds québécois de la recherche sur la société et la culture (FQRSC). J'exprime aussi ma gratitude à la Chaire de recherche du Canada en mondialisation, citoyenneté et démocratie et à Athéna éditions pour avoir rendu possible la publication de cet ouvrage, particulièrement à Jules Duchastel, titulaire de la Chaire, et à Andrée Laprise, directrice de la maison d'édition. Je remercie Enrique Galletto et le journal *El Ciudadano*, de Rosario pour la photographie reproduite en couverture. Je suis infiniment reconnaissant à mon épouse, Viviana Fridman, pour ses conseils précieux et son appui inébranlable. Je dédie ce livre à nos enfants, Emma et Alex, à qui nous devrons expliquer un jour *l'énigme argentine*.

Introduction

La crise en Argentine a suscité bien des questions chez ceux qui, partout dans le monde, ont été choqués par les scènes de violence et de chaos montrées à la télévision durant les derniers jours de l'année 2001. Ainsi, on s'est demandé : comment ce pays, censé être parmi les plus riches et modernes de l'Amérique latine, a-t-il pu arriver à un tel niveau de détresse économique ? L'Argentine est peut-être le seul pays en Occident qui a parcouru le chemin inverse du développement : les médias l'ont souvent répété, elle se rangeait parmi les sept puissances économiques du monde dans les années 1920. Elle était encore, dans les années 1990, l'un des cinq principaux exportateurs de grains et de viande. L'Argentine possède d'énormes ressources énergétiques et minéraux et compte sur une industrie passablement diversifiée (aliments, véhicules motorisés, produits textiles, chimie et pétrochimie, métallurgie et acier). Entre les années 1940 et les années 1970, l'Argentine est passée d'une position privilégiée dans la hiérarchie internationale, avec un PNB total et par habitant nettement supérieur à celui de l'Italie et de l'Espagne, à une position bien au-dessous de ces deux pays européens[1]. Comparable au Canada sur le plan géographique et démographique, on peut affirmer qu'elle représente l'échec national le plus retentissant de l'histoire moderne.

---

1. Guido Di Tella et Rudiger Dornbusch, *The Political Economy of Argentina, 1946-83*, Pittsburgh, University of Pittsburgh Press, 1989.

Il va sans dire que les processus qui sous-tendent le déclin de l'Argentine sont très complexes. Les sociologues et les politologues ont produit de nombreux travaux qui permettent d'en saisir certains facteurs, dont, par exemple, l'attitude extrêmement conservatrice et égocentrique des élites et l'existence d'une culture politique qui favorise la confrontation plutôt que la négociation[2]. Cependant, le fiasco argentin n'a pas donné lieu qu'à des explications savantes. Les interprétations mythiques, les lectures paranoïaques, les révisionnismes historiques ont marqué le discours public en Argentine depuis le début de sa décadence dans les années 1930. Le caractère improbable de la réalité vécue (« comment peut-on aller si mal quand les conditions sont si bonnes ? ») engendre un sentiment de profonde frustration, mais aussi une chasse aux sorcières toujours renouvelée (« ça doit être la faute à tel groupe ») et un besoin constant de s'accrocher à la croyance dans le potentiel extraordinaire du pays (« l'Argentine est promise à un destin grandiose »). Ironiquement, ce mécanisme de surcompensation (« c'est justement parce que notre pays est richissime que l'on veut nous dépouiller, nous dominer, nous mettre à genoux ») a souvent contribué à ce que la société argentine demeure bloquée.

L'Argentine évolue au rythme des grands rêves. Raúl Alfonsín avait promis que son gouvernement inaugurerait « cent ans de démocratie ». Carlos Menem avait proclamé que l'Argentine se rangerait, au début du XXIe siècle, « parmi les dix meilleurs pays du monde ». Cependant, l'Argentine de l'année 2001 a été celle de la misère généralisée — une personne sur deux vivant sous le seuil de la pauvreté — et de la déchéance totale de son système politique. Mais les promesses d'Alfonsín et de Menem ne traduisaient pas seulement une confiance démesurée dans le potentiel du pays. Elles renvoyaient à la mémoire collective d'une société qui, dans le passé, avait effectivement été prospère, égalitaire et progressiste, d'une jeune nation qui, il y a seulement deux générations, s'était ouverte à des millions d'immigrants européens en quête d'une vie meilleure. C'est pourquoi il faut comprendre

---

2. Voir, par exemple, Carlos Horacio Waisman, *Reversal of Development in Argentina : Postwar Counterrevolutionary Policies and their Structural Consequences*, Princeton, Princeton University Press, 1987.

que les familles de classe moyenne, qui ont vu leurs épargnes retenues et dévaluées par l'État, ou les travailleurs, qui ont perdu leur emploi à cause des politiques d'ajustement, n'ont pas été affectés que sur le plan matériel. C'est aussi l'image de leur pays qui leur a été confisquée, celle d'une Argentine qui, en dépit de tous les accidents de parcours, allait réaliser un jour son destin. La rage qui a marqué les journées des 19 et 20 décembre 2001 est le reflet d'une telle frustration.

Les Argentins ne sont pas les victimes innocentes d'une conspiration locale ou internationale : la majorité d'entre eux ont voté pour Menem, cela à plusieurs reprises même quand il ne faisait plus aucun doute que son projet économique était foncièrement néolibéral et très rentable pour les capitaux étrangers. Faut-il pour autant conclure qu'il n'y a pas de « vrais » coupables dans le drame argentin ? Pas du tout. Il y a, d'abord, ce que l'on appelle la « classe politique ». La corruption des uns et le manque de courage des autres a été l'une des causes du déclin de l'Argentine. On pourrait argumenter, toutefois, qu'une population qui, dans une large proportion, fraude les impôts et fait du marché noir, n'a que les politiciens qu'elle mérite. Mais la responsabilité fondamentale des dirigeants — le gouvernement et l'opposition — est indéniable, car c'est à eux de promouvoir une nouvelle culture civique, surtout à travers l'exemple. Ensuite, il y a les élites économiques qui, historiquement, ont prêché le libre-échange tout en saignant l'État, en lui demandant sans cesse des privilèges et des protections spéciales. Elles ont d'ailleurs appuyé toutes les dictatures militaires et en ont profité sans aucune gêne pour s'enrichir. Enfin, il ne faut pas oublier le rôle des organismes financiers internationaux, particulièrement le Fonds monétaire international. Leur myopie, leur insensibilité, leur cupidité ont grandement contribué au déclenchement de la crise.

Certains se sont empressés de voir dans la situation argentine les signes emblématiques du combat entre les forces du capitalisme transnational et un peuple qui, après maints abus, s'était finalement levé pour dire « non » au néolibéralisme. Plusieurs activistes et intellectuels altermondialistes ont même cru percevoir dans la protestation sociale argentine les signes d'un tournant global dans l'identité et l'action

collectives. Au Forum social de Porto Alegre, en février 2002, on
pouvait même entendre parler, dans certains ateliers, de la « révolution argentine », voire des débuts d'une « insurrection latino-
américaine » contre l'impérialisme néolibéral. Bien que plus modérés
dans leur diagnostic, des auteurs très connus comme François
Chesnais[3], Toni Negri[4] et Naomi Klein[5] ont contribué à diffuser sur la
scène internationale l'image d'un peuple héroïque qui s'était élevé contre
un « État spoliateur… associé au capital étranger[6] ».

Bien que cette perspective soit par trop simpliste (et romantique),
il n'en demeure pas moins que la réponse citoyenne à laquelle nous
avons assisté en Argentine constitue en elle-même l'expression d'une
nouvelle forme d'action collective. Les gestes de désobéissance civile
— qui ont surtout été pacifiques, malgré les débordements et l'intervention des « casseurs » — font partie d'une praxis qui se répand en Amérique latine[7]. Les citoyens sentent que le pouvoir politique — même
quand il se dit de gauche — ne tient plus compte de leurs besoins et
de leurs intérêts. À la différence de ce que l'on a vu au cours du
XXᵉ siècle, ce ne sont pas les grands mouvements structurés par le
haut, ni les groupes militants qui agissent au nom du peuple, mais les
hommes et les femmes « ordinaires » qui exigent le changement, en ren-
dant visibles les fractures sociales et en questionnant la légitimité des
élus, sans pour autant mettre en cause les institutions elles-mêmes.

Qu'en est-il aujourd'hui de ces nouvelles expériences associatives
et solidaires qui ont surgi à la faveur de la dégringolade économique
et du vide politique créé par la démission du président Fernando de

---

3.   François Chesnais et Jean-Philippe Divès, ¡ *Que se vayan todos ! Le peuple argen-
     tin se soulève*, Paris, Nautilus, 2002.
4.   Antonio Negri *et al.*, *Diálogo sobre la globalización, la multitud y la experiencia
     argentina*, Buenos Aires, Paidós, 2003.
5.   Naomi Klein, *Fences and Windows. Dispatches from the Front Lines of the Globa-
     lization Debate*, Toronto, Vintage, 2002.
6.   François Chesnais et Jean-Philippe Divès, *op. cit.*
7.   Victor Armony, « Building Citizenship : Social Protest and Citizen Mobiliza-
     tion in Latin America », dans Rosalind Boyd et S. J. Noumoff (dir.), *Struggles
     in the Americas : The Emergence of a New Civil Society*, Montréal, Centre for Deve-
     loping-Area Studies (Université McGill), 2003.

la Rúa ? Les *piqueteros* (chômeurs qui bloquent les routes et construisent des projets communautaires), les *cacerolazos* (manifestations de la classe moyenne avec des casseroles) et les *asambleas barriales* (assemblées de quartier où l'on pratique la démocratie directe) étaient, en effet, devenus les symboles concrets d'un véritable réveil citoyen. Or, même s'il est vrai que l'année 2002 a connu une montée exceptionnelle des formes spontanées de mobilisation et d'auto-organisation populaire, l'Argentine de 2004 correspond difficilement à ce portrait idéalisé. Cela veut-il dire que la réaction des Argentins à la crise en a été une très intense mais sans véritable conséquence, outre le fait d'avoir forcé de la Rúa à quitter le pouvoir ? Plus concrètement, le paysage politique d'aujourd'hui est-il fondamentalement différent de celui d'avant décembre 2001 ?

Pour pouvoir répondre à une telle question, il faut d'abord souligner que l'élection présidentielle du 27 avril 2003 a été un exemple de civisme, alors que le climat de fragmentation sociale des mois précédents laissait présager le pire. Le taux de participation a été très élevé (80 %) ; il n'y a pas eu d'incidents significatifs de violence, d'intimidation ou de fraude ; le vote blanc ou nul (qui avait atteint 41 % en 2001) est tombé à son niveau le plus bas en vingt ans ; la presque totalité des suffrages (neuf sur dix) sont allés à l'un ou l'autre des cinq principaux candidats, dont une femme — Elisa Carrió — qui s'est démarquée par son message de renouveau éthique. Le lendemain de l'élection, la plupart des analystes étaient d'accord sur le bilan : la démocratie, du moins dans sa dimension électorale, se portait très bien. Bref, les Argentins, quoique toujours méfiants envers les politiciens, n'ont pas délaissé la politique. En fait, tout semble indiquer qu'une nouvelle conscience citoyenne commence à s'affirmer : soit à l'intérieur ou à l'extérieur des institutions conventionnelles, les citoyens cherchent à élargir l'espace public. Sans tomber pour autant dans l'enthousiasme naïf, on peut noter, dans le même sens, certaines transformations dans la manière dont beaucoup d'hommes et de femmes coopèrent pour améliorer leur sort commun et réclament collectivement ce qui leur est dû. Le mouvement *piquetero*, par exemple, a donné lieu à l'établissement de réseaux d'entraide tout à fait remarquables. Au sein de la classe moyenne, les assemblées de quartier ont favorisé l'émergence de regroupements de voisins très actifs dans leurs gestes de contestation et de revendication de droits. Partout dans le pays, on peut observer des expressions de cette volonté d'autonomie que les mouvements sociaux et politiques traditionnels n'avaient jamais eue.

Le 25 mai 2003, dix-sept mois après la révolte citoyenne, un cycle politique s'est terminé en Argentine. Le président Néstor Kirchner est venu en effet clore une période d'agitation et d'incertitude. Les problèmes de fond ne sont certes pas réglés. Au contraire, après le calme relatif de la transition, ils risquent d'exploser encore si les attentes minimales de la population et des marchés ne sont pas satisfaites durant la première moitié de son terme. En ce sens, Kirchner a peu de temps pour accomplir plusieurs tâches majeures. La première est, sans doute, celle de se projeter comme un leader compétent, déterminé et, surtout, indépendant des vieilles cliques. Il est arrivé au pouvoir avec un avantage : il était peu connu des Argentins. Même s'il est un péroniste de longue date, deux fois gouverneur de la province de Santa Cruz, il était perçu comme périphérique à la « classe dirigeante » qui avait dominé la vie publique durant les années 1990 et à laquelle les citoyens avaient adressé leur cri de guerre : « Qu'ils s'en aillent tous ! » Le président intérimaire Eduardo Duhalde l'avait propulsé comme candidat seulement après que ses deux dauphins eurent été écartés de la course. Troisième choix de Duhalde, deuxième choix des Argentins (avec 22 % des voix au premier tour, contre 24 % pour Carlos Menem, qui s'est retiré avant le second tour), il est, en quelque sorte, devenu président par défaut. Certains craignaient que cela ferait de Kirchner un président faible. D'autres, en revanche, voyaient là une occasion : le gouvernement n'aurait d'autre choix que de s'appuyer sur la société civile et la participation citoyenne pour consolider sa légitimité.

Dans cet ouvrage, nous développons une lecture de l'histoire et de l'actualité argentine à la lumière des représentations et des discours qui ont donné sens à l'expérience collective. Nous rendons compte des faits, certes, mais nous sommes surtout attentifs aux images de la société auxquelles ils s'articulent. Le premier chapitre présente les moments clés du XIXe et du XXe siècles, avec un accent particulier sur les mythes et les croyances qui s'inscrivent dans l'identité nationale durant la formation de l'État, l'intégration des immigrants et la dynamique d'industrialisation. Le chapitre 2 porte sur la sortie de la dictature militaire et la transition démocratique que le gouvernement du président Raúl Alfonsín a conduit entre 1983 et 1989. Au chapitre 3, nous nous attardons sur le tournant néolibéral piloté par le président Carlos Menem entre 1989 et 1999, un tournant qui a transformé la société argentine de manière irréversible. Le chapitre 4 propose une analyse de la mobilisation populaire et des gestes de protestation sociale qui se sont multipliés en Argentine durant la deuxième moitié des années 1990. Le chapitre 5 aborde la crise de 2001 et la révolte citoyenne qui a provoqué l'effondrement du système politique. Dans la conclusion, nous nous intéressons à l'élection de Néstor Kirchner en avril 2003 et à ses premiers six mois au pouvoir[8].

---

8. La plupart des citations qui apparaîtront dans les prochains chapitres ont été traduites soit de l'espagnol, soit de l'anglais par l'auteur.

Chapitre 1

Le rêve argentin

Le 2 janvier 2002, Eduardo Duhalde prêtait serment à titre de président de l'Argentine. Il entrait en fonction dans le contexte d'une crise politique, économique et sociale que plusieurs considéraient comme la plus grave de l'histoire moderne du pays. La chute de la production nationale durant les quatre années précédentes équivalait à près du double de celle que les États-Unis avaient connue durant la Grande Dépression de 1929. Duhalde arrivait au pouvoir après la démission de quatre présidents en deux semaines[1]. La mobilisation populaire des jours précédents s'était soldée par une trentaine de morts et la situation sociale demeurait explosive. Dans son discours inaugural, le nouveau chef d'État formulait un diagnostic lapidaire : « Ce n'est pas le moment, je crois, de blâmer qui que ce soit. C'est le moment de dire la vérité. L'Argentine est brisée. L'Argentine a fait faillite[2]. » Cependant, au cours des semaines suivantes, Duhalde allait prononcer à plusieurs reprises une phrase énigmatique : « L'Argentine est condamnée à la réussite[3]. » Bien des journalistes ont vu dans cette affirmation encore

---

1. Après la démission de Fernando de la Rúa le 20 décembre 2001, le président du Sénat, Ramón Puerta, est devenu automatiquement président par intérim, mais il démissionne deux jours plus tard. Le Congrès nomme alors le sénateur péroniste Adolfo Rodríguez Saá, qui démissionne à son tour la semaine suivante. Le poste de président revient à Puerta, mais celui-ci le refuse. Eduardo Camaño, président de la Chambre des députés, assume alors l'intérim pendant quarante-huit heures, jusqu'à la nomination de Duhalde.
2. Eduardo Duhalde, Message à l'Assemblée législative, 2 janvier 2002.
3. *La Voz del Interior* (Córdoba), 3 juillet 2002.

une autre expression de la malheureuse propension des politiciens à se déconnecter de la réalité. Pourtant, elle n'est pas que le reflet de cette tendance. En effet, si l'« argentinité » est difficile à définir en tant que contenu, elle est amplement partagée au niveau de sa forme : elle constitue *une promesse*. Il s'agit de la conviction que l'Argentine est prédestinée à un avenir brillant. On peut même affirmer qu'il s'agit d'un aspect clé de la représentation de la vie collective : le pays fait fausse route, s'éloignant de plus en plus de ce qu'il a été, ou plutôt de ce qu'il pourrait ou aurait pu être... Comme le suggère l'écrivain Tomás Eloy Martínez, « on a toujours cru que l'Argentine se trouvait à un endroit différent de celui que la géographie, le hasard ou l'histoire lui avaient assigné[4] ». Dans une conception qui ancre l'utopie dans le souvenir d'un âge d'or passé (celui de la prospérité libérale ou celui de l'abondance péroniste), l'objectif primordial consiste à freiner la décadence : l'Argentine grandiose existe, puisqu'on l'a vécue, mais elle est dormante. Comme les héritiers d'un trésor mythique qui reste caché, les Argentins attendent le jour de sa découverte.

La formation de l'État-nation argentin s'inscrit bien dans la mouvance de la « promesse américaine ». Quoique le paradigme de cette représentation utopique soit incontestablement les États-Unis — le lieu de l'*American Dream* —, d'autres régions du continent ont aussi occupé une place significative dans l'imaginaire du Nouveau Monde. Au début du XXᵉ siècle, l'Argentine était perçue en Europe comme « l'un des pays les plus progressistes du monde, une nation qui est en train de se placer au premier rang des grandes communautés qui comptent[5] ». Le lot de l'Argentine fut pourtant tout autre. Au lieu de se classer en tête des « grandes communautés », elle dégringola jusqu'au 72ᵉ rang, si l'on tient compte du revenu par habitant pour 2001[6]. Au début de 2002, son « risque-pays » (l'indicateur qui mesure la confiance des investisseurs) était plus bas que celui du Nigeria (jusque-là le pire du monde). Pourtant, l'Argentine s'étend sur près de trois millions de kilomètres

---

4. Tomás Eloy Martínez, *El sueño argentino*, Buenos Aires, Planeta, 1999.
5. William Henry Koebel, *The New Argentina*, New York, Dodd, Mead, 1923, p. vii.
6. Données de la base *World Development Indicators* (WDI) compilée par la Banque mondiale.

carrés et possède, outre ses ressources énergétiques incalculables, l'une des prairies les plus fertiles de la planète. Sa population est à prédominance urbaine et scolarisée et il n'y a pas de barrières géographiques, linguistiques ou culturelles qui puissent donner lieu à une parcellisation démographique. Il n'est donc pas étonnant que le cas argentin ait suscité, sans cesse, la curiosité des observateurs, qui demeurent perplexes en face d'un échec aussi monumental : « Comment l'Argentine, qui était en 1930 à un niveau de développement social, économique et politique comparable à celui du Canada, de l'Australie et de l'Europe méridionale, a-t-elle pu arriver à une situation tellement chaotique[7].? »

Déchirée entre ses velléités européanisantes et ses attaches créoles, ambivalente vis-à-vis de son héritage hispanique, toujours hantée par le cri de « civilisation ou barbarie » à l'origine du projet national et habitée par la mémoire de fractures idéologiques qui se sont parfois soldées par l'annihilation de l'adversaire, l'Argentine s'est révélée, parmi les « populations neuves », un cas exemplaire d'échec dans la construction d'une véritable communauté de destin : dès le XIXᵉ siècle s'impose une « mythologie d'exclusion » qui brime tout idéal de consensus ou de compromis[8]. En même temps, l'Argentine est souvent citée comme le paradigme de l'intégration ethnique dans les Amériques : nulle société, même pas les États-Unis, n'aurait aussi bien réussi le fameux « creuset des races ». En une seule génération, des millions de nouveaux arrivants se sont assimilés dans une « argentinité » fort distinctive. On pouvait déjà affirmer, il y près d'un demi-siècle, que « tous les Argentins sans exception, même et parfois surtout les Argentins de fraîche date, ont au fond d'eux-mêmes le sentiment d'appartenir à une même communauté nationale[9] ». Comme l'a observé l'anthropologue libanais Selim Abou, « si chacun doute de l'argentinité de son sem-

---

7. Peter Snow, « Argentina : Development and Decay », dans J. Knippers Black (dir.), *Latin America. Its Problems and its Promise*, Boulder, Westview Press, 1984, p. 436.

8. Nicolas Shumway, *The Invention of Argentina*, Berkeley, University of California Press, 1991.

9. Jean Touchard, *La République Argentine*, Paris, Presses universitaires de France, 1949, p. 66.

blable, chacun est aussi certain de la sienne et son nationalisme est d'autant plus virulent qu'il ne parvient pas à définir ses assises culturelles[10] ».

L'Argentine contemporaine doit être interprétée à la lumière du rapport ambigu mais intense qu'entretiennent les Argentins avec leur pays. Nous apporterons dans ce premier chapitre quelques repères historiques pour tenter de mieux comprendre comment cette société « profondément traversée par une formidable bataille autour des symboles de la nationalité[11] » a pu incorporer, voire « fusionner » une marée d'immigrants et, surtout, comment une « identité nationale dont la principale caractéristique est précisément son aspect brisé[12] » a pourtant servi, dans certaines conjonctures, de support à un chauvinisme extrême. Déjà dans les années 1920, le président Marcelo T. de Alvear signalait ce trait de la « personnalité collective » :

> Les Argentins refusent d'accepter toute vérité qui les rend inférieurs face aux autres. La plus grande ville du monde est la leur, leurs montagnes aux frontières sont les plus hautes et leurs pampas les plus larges ; les plus beaux lacs sont à eux, ainsi que le meilleur bœuf, les plus riches vignobles et les femmes les plus adorables. Ils n'acceptent aucune réserve, pas plus que le fait qu'il pourrait y avoir un pays qui les surpasse en quelque chose[13].

Il n'est donc pas surprenant que la classe moyenne — dont plus de 70 % de la population argentine se réclamait il y a seulement deux ou trois décennies[14] — ait toujours été écartelée entre la grande espérance initiale et la profonde frustration subséquente qu'aucun nou-

10. Selim Abou, *Immigrés dans l'autre Amérique : autobiographies de quatre Argentins d'origine libanaise*, Paris, Plon, 1972, p. 25.

11. Diana Quattrocchi-Woisson, « Discours historique et identité nationale en Argentine », *Vingtième Siècle*, n° 28, 1990, p. 42.

12. Diana Quattrocchi-Woisson, « Le rôle de l'histoire et de la littérature dans la construction des mythes fondateurs de la nationalité argentine », communication présentée au colloque *Mythes fondateurs nationaux et citoyenneté*, Montréal, 7-8 novembre 1996, p. 1.

13. James Bruce, *Those Perplexing Argentines*, New York, Longmans & Green, 1953, p. 7. Voir en annexe la liste des présidents.

14. Alberto Minujín et Gabriel Kessler, *La nueva pobreza*, Buenos Aires, Planeta, 1995, p. 21.

veau cycle politique n'a manqué de susciter au long du siècle. L'optimisme débridé donne alors lieu au cynisme le plus extrême, à tel point que l'on a pu affirmer que les Argentins « tirent un plaisir pervers de leur pessimisme, en se rappelant toujours les uns les autres comment les choses vont mal et comment elles ne peuvent qu'empirer[15] ».

Tantôt sûrs de la supériorité intrinsèque de l'Argentine — notamment vis-à-vis du reste de l'Amérique latine[16] —, tantôt désabusés de l'avenir du pays et prêts à émigrer sans hésitation vers l'Europe ou l'Amérique du Nord, plusieurs Argentins sont ainsi porteurs d'une passion contradictoire à l'égard de leur nationalité. Comme le résume le titre d'un ouvrage américain des années 1960 — *Argentina : The Divided Land*[17] —, le pays semble condamné à ne jamais pouvoir réaliser complètement son unité. Cet échec récurrent est lié — en tant que cause ou en tant que conséquence ? — à un autre blocage perpétuel : l'incapacité de l'Argentine à se hausser au niveau de ses « potentialités ». De nombreux essais publiés depuis la fin des années 1990 témoignent d'une interrogation collective sur les causes du « mal argentin[18] ». Afin de saisir la complexité du sentiment d'amour/haine que les citoyens entretiennent envers ce pays qui leur a tant promis et qui les a tant déçus, il faut

---

15. Gary W. Wynia, *Argentina : Illusions and Realities*, New York, Holmes & Meier, 1986, p. 15.
16. Mario C. Nascimbene et Mauricio Isaac Neuman, « El nacionalismo católico, el fascismo y la inmigración en la Argentina (1927-1943) : una aproximación teórica », *Estudios Interdisciplinarios de América Latina y el Caribe*, vol. 4, n° 1, 1993, p. 115-140.
17. Thomas Francis McGann, *Argentina. The Divided Land*, Princeton, Van Nostrand, 1966.
18. Entre autres : Tomás Eloy Martínez, *Réquiem por un país perdido*, Buenos Aires, Aguilar, 2003 ; Daniel Alberto Dessein, *Reinventar la Argentina. Reflexiones sobre la crisis*, Buenos Aires, Sudamericana, 2003 ; Daniel Muchnik, *Tres países, tres destinos. Argentina frente a Australia y Canadá*, Buenos Aires, Norma, 2003 ; Marcos Aguinis, *El atroz encanto de ser argentinos*, Buenos Aires, Planeta, 2001 ; Mariano Grondona, *La Realidad. El despertar del sueño argentino*, Buenos Aires, Planeta, 2001 ; Mempo Giardinelli, *El país de las maravillas. Los argentinos en el fin del milenio*, Buenos Aires, Planeta, 1998 ; Juan Carlos Chaneton, *Argentina : la ambigüedad como destino. La identidad del país que no fue*, Buenos Aires, Biblos, 1998 ; Celia Daguerre, Diana Durán et Albina Lara, *Argentina. Mitos y realidades*, Buenos Aires, Lugar Editorial, 1997.

retracer ses racines. Nous nous intéressons à l'histoire argentine en ce qu'elle peut être interrogée comme « un mémorial où la société inscrit les figures à travers lesquelles elle saisit sa propre image[19] ».

Nous verrons dans notre parcours que l'influence du « radicalisme » (officiellement « Union civique radicale » ou « Parti radical ») et du « péronisme » (aussi appelé « justicialisme ») dans la politique argentine est un thème récurrent. Ils ont été les deux principaux véhicules des demandes populaires. Le « radicalisme », né à la fin du XIXe siècle, a été traditionnellement le parti de la classe moyenne (et des immigrants pendant les premières décennies du XXe siècle), oscillant sur le plan idéologique entre le libéralisme et la social-démocratie. Le « péronisme », quant à lui, est une forme de populisme qui s'identifie formellement aux positions plus conservatrices d'une démocratie chrétienne, mais qui a aussi promu des projets réformateurs de gauche. Le « radicalisme » a été parfois vu comme l'expression politique d'une attitude plus individualiste et cosmopolite, alors que le péronisme s'est toujours réclamé d'une pensée davantage collectiviste et nationaliste.

Pour comprendre les avatars de la politique argentine, il faut aussi avoir une idée du fonctionnement du système institutionnel. Signalons alors que l'organisation politique et juridique de l'Argentine se fonde sur la Constitution nationale sanctionnée en 1853, définitivement établie en 1860, réformée en 1866, 1898, 1957 et, plus récemment, en 1994[20]. Inspirée du modèle états-unien, elle consacre les principes fédéral (pacte réciproque des provinces qui forment la nation) et républicain (séparation des pouvoirs exécutif, législatif et judiciaire). Il s'agit d'une constitution « rigide », au sens où sa modification exige l'appui des deux tiers du Congrès et la convocation d'une « assemblée constitutionnelle ». C'est pour cette raison que Carlos Menem a eu besoin de l'accord de Raúl Alfonsín pour rallier les voix du radicalisme et pouvoir ainsi procéder à la réforme de 1994 qui, entre autres,

---

19. Edmond Marc Lipiansky, *L'identité française : représentations, mythes, idéologies*, La Garenne-Colombes (France), Éditions de l'Espace européen, 1991, p. 15.
20. La Constitution a été « suspendue » par des régimes *de facto* à plusieurs reprises depuis le coup d'État de 1930 et jusqu'aux années 1980 (1930-1932, 1943-1946, 1955-1958, 1962-1963, 1966-1973 et 1976-1983).

réduisit le mandat présidentiel de six à quatre ans et leva l'interdiction de réélire un président (permettant ainsi, dans la pratique, dix ans de gouvernement Menem : six ans au premier terme et quatre au second). Juan Perón avait modifié la constitution en 1949 dans le même but. Il fut réélu en 1952 pour un deuxième mandat, mais les militaires le délogèrent en 1955 et éliminèrent de la constitution la clause de la réélection.

Bien que les provinces soient, selon la constitution, la source originelle du pouvoir et détiennent toute compétence non déléguée au gouvernement fédéral, elles ont fortement réduit leur propre autonomie lors de l'adhésion à la nation, ce qui a donné lieu à un fédéralisme atténué ou ce que d'aucuns ont appelé un « fédéralisme unitaire[21] ». Quant au régime républicain, le jeu de son système de « freins et contrepoids » est historiquement restreint : le pouvoir réel du Congrès a toujours été fort limité et l'institution judiciaire est notoirement perméable au climat politique[22]. Issue de la colonisation espagnole en Amérique, l'Argentine a hérité des traditions catholique, patrimoniale et militaire qui favorisent les tendances centralisatrices : comme résultat, les décisions gouvernementales sont appliquées d'autorité plutôt que par négociation[23] et, au cœur de cette dynamique, le chef de l'exécutif est le détenteur du véritable pouvoir décisionnel[24]. La présidence en Argentine est le symbole de l'unité nationale et celui qui l'occupe, souvent sous un leadership personnaliste, est considéré comme le dépositaire suprême de la souveraineté et le mandataire exclusif de la volonté populaire[25]. Il est ainsi évident que la parole présidentielle concentre une grande partie de la puissance symbolique que possède l'État.

---

21. Mario Justo López, « Les déboires du droit en Argentine », dans Jacques Zylberberg et Claude Emeri (dir.), *La démocratie dans tous ses états : Argentine, Canada, France*, Sainte-Foy, Les Presses de l'Université Laval, 1993, p. 215-230.
22. Yvon Grenier, « Contre la dictature : l'Argentine en transition », dans Jacques Zylberberg et Claude Emeri (dir.), *ibid.*, p. 21-43.
23. Marc Hufty, « Régulation et dérégulation étatique de l'économie en Argentine », dans Jacques Zylberberg et Claude Emeri (dir.), *ibid.*, p. 309-336.
24. Alberto Antonio Spota, « Le cas argentin », dans Jacques Zylberberg et Claude Emeri (dir.), *ibid.*, p. 85-97.
25. Jacques Lambert et Alain Gandolfi, *Le système politique de l'Amérique latine*, Paris, Presses universitaires de France, 1987.

Les avatars d'un pays divisé

Dans son ouvrage *The Invention of Argentina*[26], Nicolas Shumway affirme que le nationalisme argentin, tel qu'il commence à se profiler au XIXe siècle, se caractérise par les aspects suivants : une certaine xénophobie, associée à une fierté de l'héritage hispanique et de l'hybridité du fils de la terre (notamment à travers la figure idéalisée du *gaucho*, le « cow-boy » de la Pampa), opposée donc au « racisme progressiste » des libéraux européanisants et cosmopolites[27] ; une vision dualiste de l'Argentine, où deux nations se font face : d'une part, celle incarnée par Buenos Aires et ses élites cultivées et frivoles et, de l'autre, le pays des provinces, le pays profond, pauvre mais authentique ; une fascination pour les chefs autoritaires, ces personnages puissants et charismatiques qui sont à même d'apporter des solutions rapides et efficaces aux grands problèmes collectifs ; un penchant isolationniste et protectionniste, autant sur le plan économique que culturel, ce qui donne régulièrement lieu à des lectures paranoïaques de la réalité[28].

Il va de soi que l'on peut déceler une structure similaire dans la majorité des nationalismes exacerbés : toute forme de repli ethniciste comporte, par exemple, l'attachement au sol et aux ancêtres, l'identification d'un « ennemi intérieur » (qui trahit, minimise ou fausse l'âme nationale en important des valeurs étrangères) et une préférence pour des leaders qui puissent devenir eux-mêmes des emblèmes identitaires. Il est donc possible de parler, plutôt, de la « version argentine » d'une conception biologique, holiste et hiérarchique de la communauté.

26. Nicolas Shumway, *The Invention of Argentina*, Berkeley, University of California Press, 1991.

27. Il s'agit d'un racisme « pseudo-universaliste » (ou « assimilationniste »), selon la typologie de Pierre-André Taguieff, c'est-à-dire qu'il vise l'assimilation des cultures « inférieures » au modèle culturel « supérieur » dans l'échelle de l'évolution (dans la perspective d'un « darwinisme social »). Il se distingue donc du « racisme différentialiste » qui est centré sur l'impératif de préservation de l'identité propre et se trouve régi par la phobie du mélange. Voir Pierre André Taguieff, « Racisme et anti-racisme : modèles et paradoxes », dans André Béjin et Julien Freund (dir.), *Racismes, antiracismes*, Paris, Librairie des Méridiens, 1986, p. 265.

28. Nicolas Shumway, *op. cit.*, p. 292-296.

Dans cette perspective, les origines d'un nationalisme au contenu proprement argentin peuvent être situées dans la période de la « Fédération » que Juan Manuel de Rosas imposa aux provinces entre 1835 et 1852. Assurant un mode de vie traditionnel sous l'emprise de l'autorité paternaliste, il mit fin aux guerres civiles postindépendantistes, mais aussi au projet républicain qui avait commencé à se dessiner dans les années 1820, dans la continuité de la Révolution de Mai (qui démantela, en 1810, le régime colonial). Bernardino Rivadavia, d'abord comme ministre de gouvernement et ensuite comme premier président des *Provincias Unidas del Río de la Plata*, avait, en effet, introduit des lois de nature progressiste sur le droit de vote, la liberté de culte, l'abolition des tribunaux ecclésiastiques, la création d'écoles, de musées, d'universités, etc. Le triomphe de Rosas signifiait, par contre, la généralisation d'un ordre localiste, personnaliste et paysan. Mais ce « communautarisme » ou « essentialisme » — qui renaîtra, cent ans plus tard, dans le péronisme — n'est pas le lieu unique d'une défense et illustration de l'« être national ». En effet, il serait erroné de voir dans le programme éclairé des « pères fondateurs » de l'Argentine post-Rosas le plein déploiement d'une conception « civique » du lien social. C'est, en fait, l'idéologie du progrès elle-même qui donnera naissance, au tournant du siècle, à l'un des invariants de la représentation nationalitaire : le caractère prétendument « exceptionnel » de l'Argentine. Comme le disait un observateur états-unien il y a plus de cinquante ans : « le thème est toujours la *grandeza* — la grandeur — de la nation. La plupart des Argentins ont une foi inébranlable dans le destin de leur pays[29]. »

Il est donc clair que la discussion ne doit pas se centrer sur la présence ou l'absence de « nationalisme » dans les divers projets politiques qui se sont succédé depuis la naissance de l'Argentine. Bien sûr, il s'agit d'une dimension importante dont il faut tenir compte dans l'analyse, surtout lorsqu'on se penche sur les processus d'exclusion et de violence politique. Cependant, une telle conceptualisation restrictive du fait national ne nous permettrait pas de saisir les « modalités de l'argentinité », soit les différentes représentations de la commu-

---

29.   James Bruce, *op. cit.*, p. 8.

nauté nationale. Notre objectif ne sera pas de résumer tout un siècle
de transformations, mais plutôt de cerner ce que le philosophe Tomás
Abraham appelle les « histoires de l'Argentine désirée » :

> Toutes ces épopées inaccomplies ou échouées [qui] ont toujours semé
> quelque chose ; nous nous sommes façonnés à la mesure de ces désirs,
> de ces souvenirs, de leur mémoire. Quel est le pays que les classes diri-
> geantes — que nous avons appuyées — ont voulu faire ? Quelle Argen-
> tine ont-elles voulu construire[30] ?

La mise en place de l'État-nation

L'État argentin s'est constitué, comme dans la plupart des cas dans les
Amériques, pendant la deuxième moitié du XIXe siècle. C'est entre
1860 et 1880 que le processus d'intégration nationale atteindra sa
pleine maturité, sous les présidences de Bartolomé Mitre, de Domingo
Faustino Sarmiento et de Nicolás Avellaneda. Ces ténors du laisser-
faire en matière économique et d'un libéralisme au penchant aristo-
cratique — car centralisateur et élitiste — comptaient sur l'appui d'un
groupe « riche en terres mais pauvre en capitaux[31] » : celui des grands
propriétaires fonciers qui dépendaient du financement britannique
pour développer l'infrastructure nécessaire à l'exportation de la production agraire[32]. Leur conception du nouvel État comportait la main-
mise de l'autorité présidentielle sur les principales affaires publiques,
la réduction de l'autonomie politique des provinces et l'élimination
des barrières internes à la circulation de marchandises[33].

Durant l'étape des expéditions et de fondation des villes (aux
XVIe et XVIIe siècles), la Pampa n'avait revêtu qu'une importance
marginale au sein des colonies : cette région dépourvue de mines et de
plantations demeura longtemps livrée au bétail sauvage et à la domination des bandes nomades d'Autochtones. Ce sera au cours du
XVIIIe siècle que Buenos Aires et sa périphérie rurale connaîtront un

---

30.   Tomás Abraham, *Historias de la Argentina deseada*, Buenos Aires, Sudamericana,
      1995, p. 12.
31.   Henry Stanley Ferns, *Argentina*, Londres, Benn, 1966, p. 94.
32.   Thomas Francis McGann, *op. cit.*, p. 30.
33.   David Rock, *Argentina, 1516-1987 : From Spanish Colonization to the Falklands
      War and Alfonsín*, Londres, Tauris, 1987, p. 121.

essor économique à la faveur du développement du commerce atlantique avec la Métropole. Le 25 mai 1810, l'élite locale, inspirée par la philosophie des Lumières et encouragée par la victoire sur les troupes anglaises qui avaient tenté de s'emparer de la ville en 1806 et 1807, déclencha la rupture vis-à-vis de la Couronne espagnole (affaiblie en raison des campagnes de Napoléon en Europe). Tout en adoptant le principe révolutionnaire de la souveraineté populaire, il fut aussitôt clair que leur objectif était de maintenir l'hégémonie de Buenos Aires (le principal port et siège des douanes) sur l'ensemble de l'ancienne viceroyauté. Tiraillé par les antagonismes entre les régions, le nouveau pays se donna néanmoins, en 1813, un drapeau, un hymne et une monnaie propres et, dans le but de se distancier de l'ancien régime, proclama des lois contre l'esclavage et l'usage de titres nobiliaires. En 1816, enfin, l'indépendance fut solennellement déclarée.

L'affrontement entre Buenos Aires et les provinces ne cessa pas pour autant. Après une longue période d'anarchie et de guerres civiles, Juan Manuel de Rosas, chef charismatique et riche propriétaire foncier de la Pampa, s'empara du pouvoir et gouverna en autocrate pendant près de deux décennies, empêchant toute forme d'organisation nationale au-delà d'un fédéralisme purement nominal. En 1852, lors de la bataille de Caseros, il fut renversé par les « unitaires » (ceux qui aspiraient à une union étatique), qui voyaient dans cet homme l'incarnation de tout ce qui entravait le progrès politique, économique et culturel du pays. En 1853, une constitution libérale fut adoptée par toutes les provinces et Buenos Aires la ratifia en 1860. Les auteurs s'accordent pour situer la genèse de l'Argentine moderne dans les vingt années qui suivirent. En effet, durant cette phase clé de l'histoire nationale s'affirma l'« ordre institutionnel de la république unifiée[34] ». Juan Bautista Alberdi — dont la pensée avait largement inspiré la rédaction de la Constitution — écrivait en 1880 :

> Aujourd'hui même, son unité est réalisée ; son sol est un, une est sa société, comme le prouve son Code Social ou Civil argentin […]. Un est

---

34. José Luis Romero, *Breve historia de la Argentina*, Buenos Aires, Huemul, 1983, p. 118.

son nom historique ; un son drapeau, une sa gloire, en un mot, une est sa vie politique et sociale, un est son être, son intérêt et son pouvoir[35].

Cette dynamique d'unification engloba certes un ensemble de processus de grande complexité : la consolidation territoriale (connue sous l'euphémisme de « conquête du désert »), accomplie par les expéditions militaires menées contre les populations aborigènes afin d'étendre la souveraineté jusqu'à la Patagonie, ainsi que par l'articulation de l'espace au moyen de 2500 kilomètres de chemins de fer ; l'établissement du régime fédéral, au sein duquel la ville de Buenos Aires devenait la capitale nationale (en se détachant de la province du même nom) ; la centralisation bureaucratique, à travers des lois visant la suppression des armées provinciales, l'organisation de l'administration et de la justice, la prise en charge de l'éducation et de la santé publiques, etc. Après ce moment de fondation institutionnelle s'ouvrait un « âge d'or » dont le souvenir est encore vivant[36].

Devenu un pourvoyeur majeur de denrées alimentaires et de produits bruts d'origine animale (blé, maïs, viande, cuir, laine), le pays pouvait se penser comme une sorte de « Dominion honoraire » de l'Empire britannique du point de vue des rapports commerciaux et financiers, se comparant même au Canada et à l'Australie[37]. Au fur et à mesure que la demande internationale s'intensifiait et que les voies ferrées s'étendaient sur les vastes territoires, l'économie connaissait une expansion fulgurante. L'Argentine ouvrit alors ses portes aux travailleurs européens. Des campagnes de recrutement furent établies par l'État dans le but de créer un bassin de main-d'œuvre abondante et à bon marché qui demeurât disponible pour les besoins cycliques et saisonniers de la production rurale[38]. Entre 1869 et 1914, trois millions d'immigrants — surtout des Italiens et des Espagnols (qui représen-

35.   Juan Bautista Alberdi, *La Revolución del 80*, Buenos Aires, Plus Ultra, 1964, p. 70.
36.   Félix Luna, *Breve historia de los argentinos*, Buenos Aires, Planeta, 1993, p. 150.
37.   Philip Ehrensaft et Warwick Armstrong, « The Formation of Dominion Capitalism : Economic Truncation and Class Structure », dans Alan Moscovitch et Glenn Drover (dir.), *Inequality. Essays on the Political Economy of Social Welfare*, Toronto, University of Toronto Press, 1981, p. 99-155.
38.   David Rock, *Politics in Argentina, 1890-1930 : The Rise and Fall of Radicalism*, Cambridge, Cambridge University Press, 1975, p. 13.

taient ensemble 80 % du total), mais aussi des Français, des Allemands, des Juifs de l'Europe de l'Est, etc. — se sont fixés en Argentine et la population passa, durant cette période, de moins de deux millions à près de huit millions d'habitants. La plupart des nouveaux arrivants restèrent à Buenos Aires, qui vit passer sa population de 180 000, en 1870, à plus d'un million et demi en 1914. L'importance de la ville dans le contexte national ne cessa de s'accroître : un Argentin sur quatre vivait dans la région métropolitaine de la capitale fédérale[39].

Mais les architectes intellectuels de l'Argentine libérale, Alberdi et Sarmiento, avaient songé à l'immigration non seulement en tant que source de main-d'œuvre bon marché, mais aussi comme un moyen de créer un « homme nouveau ». Ils entrevoyaient, en effet, la possibilité de forger un citoyen industrieux et entreprenant, à l'image du fermier nord-américain (il est à remarquer que, à cette fin, ils exprimèrent leur préférence pour les immigrants anglo-saxons ou en provenance du Nord de l'Europe). Cette idée de « peupler » le pays — au sens d'engendrer un peuple plutôt que de simplement remplir le territoire — demeura inscrite dans le projet modernisateur des élites, qui se souvenaient encore de l'adoration que les Métis et les Noirs avaient vouée à Rosas. Bien évidemment, le « projet libéral » n'était pas monolithique. Sarmiento prônait un modèle fédéral très proche de celui énoncé dans la Constitution des États-Unis, alors qu'Alberdi lui préférait un système beaucoup plus centralisé et plus conservateur sur le plan politique.

Toutefois, ce qui était initialement un dessein de nature utopique — produire, par le mélange et l'instruction, une « meilleure race » — se révéla, aux yeux des « vieilles familles », comme un enjeu des plus concrets : que faire quand les étrangers sont plus nombreux que les natifs ? La loi de 1884 instaurant l'éducation laïque, gratuite et obligatoire ainsi que la loi de 1901 établissant le service militaire obligatoire furent les jalons d'un effort d'assimilation que l'État déploya dans le but d'« argentiniser » le plus vite possible les enfants des nouveaux arrivants. L'école, mais aussi l'armée, devenaient les lieux de promo-

---

39. Richard J. Walter, *Politics and Urban Growth in Buenos Aires : 1910-1942*, Cambridge, Cambridge University Press, 1993, p. 7.

tion d'une « éducation patriotique », de sorte que, durant cette période, l'« histoire nationale » allait se placer au centre des intérêts de la classe dominante. Celle-ci voyait dans son enseignement l'outil privilégié de l'intégration[40]. L'approche pédagogique devait se centrer sur l'alphabétisation, la narration moralisatrice des épisodes héroïques de l'histoire et l'appropriation émotionnelle des symboles de la nationalité[41]. Une véritable liturgie civique fut alors mise sur pied : ce fut bien sûr le culte de l'épopée indépendantiste — autour d'une rhétorique républicaine — et la cristallisation d'un discours mythique sur les origines glorieuses de la patrie, dans la lignée de la Révolution de Mai et de la Bataille de Caseros[42].

C'est ainsi que la naissance de ce pays urbanisé, extraverti et moderniste comporta l'étouffement d'une autre définition de la communauté nationale, celle que le régime de Rosas avait véhiculée. La « Fédération » s'était ancrée dans une représentation religieuse, traditionaliste et « plébéienne » du monde. On peut y voir, rétrospectivement, une manière alternative de poser la vie collective en Argentine : celle qui correspond assez précisément au modèle de la communion organique, affective et naturelle des sujets, à l'image d'une « grande famille ». Car, si le leader « néo-colonial » exerçait son pouvoir par la violence et la censure, il le faisait en promouvant la fierté créole — proche de

---

40.   Fernando Devoto, « Idea de nación, inmigración y "cuestión social" en la historiografía académica y en los libros de texto de Argentina (1912-1974) », *Estudios Sociales*, vol. 2, n° 3, 1992, p. 12.
41.   Adolfo Prieto, *El discurso criollista en la formación de la Argentina moderna*, Buenos Aires, Sudamericana, 1988, p. 33.
42.   En 1908, le Conseil national de l'éducation — en charge des écoles de Buenos Aires et des territoires fédéraux — donna aux enseignants l'ordre de commencer chaque journée avec un serment d'allégeance au drapeau argentin et de terminer les cours en chantant *Viva la Patria*. Voir Carl Solberg, *Immigration and Nationalism : Argentina and Chile, 1890-1914*, Austin, University of Texas Press, 1985. Le Conseil veillait aussi à l'introduction systématique de références patriotiques non seulement dans les sciences humaines, mais aussi dans les mathématiques, la biologie et les métiers manuels. Voir Marcelo Escolar, Silvina Quintero Palacios et Carlos Reboratti, « Geographical Identity and Patriotic Representation in Argentina », dans David Hooson (dir.), *Geography and National Identity*, Oxford, Blackwell, 1994, p. 346-366.

l'héritage hispanique et hostile envers les puissances étrangères, l'Angleterre et la France en particulier — et en s'appuyant sur la ferveur des masses populaires[43]. Les élites libérales, en revanche, ne visaient pas à susciter l'estime des foules mais plutôt leur acceptation de l'ordre établi et leur loyauté envers l'État. Le projet qui s'imposa fut donc celui de la « civilisation » — bien ordonnée, cosmopolite et individualiste — que Sarmiento avait prônée en répudiant le grégarisme arriéré de l'« unité dans la barbarie[44] ». C'est ainsi que, au début du XXe siècle, ce pays abondamment doté par la nature, mû par les lois du marché et fort d'institutions politiques stables, quoique peu démocratiques, semblait promis au plus bel avenir : « ce pays merveilleux qu'est l'Argentine est voué à devenir l'une des plus grandes nations du monde[45] ».

L'avènement de la société plurielle

Si l'Argentine libérale se donnait un État, elle faisait beaucoup plus que structurer l'espace territorial et mettre sur pied des institutions nationales : comme nous venons de le voir, le peuple lui-même devait être un produit de l'« ingénierie » modernisatrice. La population d'origine serait en effet noyée par les masses d'étrangers, séduits par la prospérité du nouveau pays sud-américain. Or cet « Eldorado » qui attirait un si grand nombre de travailleurs d'outre-mer avait pour seul fondement la production agro-pastorale de la Pampa, une production très peu diversifiée et extrêmement concentrée : seulement 8 % des familles possédaient presque 80 % des terres[46]. Autrement dit, l'Argentine libérale, en ce qui concerne la foi dans le Progrès et la Raison, était aussi l'Argentine du pouvoir oligarchique, une Argentine quasi féodale du point de vue de la propriété rurale. Un grand nombre d'immigrants et de leurs descendants se fixèrent donc dans les villes et s'intégrèrent rapidement aux activités professionnelles, administratives, de commerce et d'artisanat, formant la base d'un secteur moyen

43.   George I. Blanksten, *Peron's Argentina*, New York, Russell & Russell, 1967, p. 26.
44.   Domingo Faustino Sarmiento, *Facundo, civilización y barbarie : vida de Juan Facundo Quiroga*, Mexico, Editorial Porrua, 1966, p. 13.
45.   William Alfred Hirst, *Argentina*, New York, C. Scribner, 1911, p. xxvii.
46.   Gary W. Wynia, *op. cit.*, p. 31.

relativement autonome, scolarisé et mobile. En même temps, une classe salariée commençait à se constituer autour de l'industrie liée aux exportations : les chantiers des chemins de fer et les entrepôts frigorifiques. La « question sociale » ne tarda pas à se manifester et la commémoration du « Centenaire » de la Révolution de Mai en 1910, qui se voulait une célébration grandiose et rassurante du passé et de l'avenir de l'Argentine, se fit dans un contexte qui ne manqua pas d'inquiéter les élites :

> Des grèves et des mouvements d'agitation troublaient le calme de la vie publique, promus par les groupes prolétaires qui, chaque jour, devenaient plus solides, mieux organisés et acquéraient une conscience plus claire de leur position politico-sociale[47].

Cette nouvelle nation plurielle et bouillonnante contenait déjà, en effet, le germe des clivages qui hanteraient l'Argentine tout au long du XXe siècle. L'ouvrier syndicalisé, l'immigrant anarchiste ou socialiste, le citoyen engagé et le jeune idéaliste firent irruption sur une scène politique jusque-là contrôlée fermement par les représentants de l'« oligarchie » foncière. On assistera, durant cette période de grands changements, aux révoltes armées de l'Union civique radicale (UCR) — le « radicalisme », le parti de la petite et moyenne bourgeoisie — dont l'accès au pouvoir était bloqué par un système électoral restrictif, à la répression des travailleurs et à l'adoption d'une loi qui autorisait la déportation des immigrants indésirables. C'est dans ce contexte que le président Roque Sáenz Peña, porte-parole du secteur « progressiste » des élites, fit adopter en 1912 une réforme électorale visant à garantir une meilleure représentativité des partis d'opposition, et ce, dans le but d'accroître la légitimité du système. Ce fut un geste audacieux mais calculé : il visait à apaiser les esprits, en permettant l'inclusion du radicalisme dans le jeu politique, et à restaurer ainsi la « tranquillité publique »[48]. En 1916 eut lieu la première élection par suffrage secret, obligatoire et universel (masculin) et, à la surprise des partisans

---

47.   José Luis Romero, *El desarrollo de las ideas en la sociedad argentina del siglo XX*, Mexico, Fondo de Cultura Económica, 1965, p. 67.

48.   Darío Cantón, José Luis Moreno et Alberto Ciria, *La democracia constitucional y su crisis*, Buenos Aires, Hyspamérica, 1980, p. 85.

du *statu quo* — qui étaient sûrs de l'efficacité de leur réseau de clientélisme et qui croyaient compter sur l'appui des modérés —, ce fut le radicalisme qui remporta la majorité des voix. Il s'agit là d'un événement majeur, qui marqua la fin de la prédominance absolue du projet libéral et qui provoqua d'imposantes manifestations populaires traduisant l'« entrée dans la vie politique de vastes secteurs de la population jusque-là marginalisés[49] ».

La gestion de Hipólito Yrigoyen, le nouveau président, se caractérisa par le personnalisme, le clientélisme politique et la promotion d'une « culture civique » aux traits moralistes. Progressiste à certains égards, il introduisit le salaire minimum garanti, la journée de huit heures, la baisse des loyers, les procédures d'arbitrage en cas de conflit de travail, etc. Son gouvernement fut aussi à l'origine d'une démocratisation de l'administration publique et des universités, alors que ses attitudes anti-impérialistes et son souci de rapatrier certains leviers de l'activité économique lui valurent la reconnaissance des secteurs préoccupés par l'emprise britannique sur les ressources argentines. Toutefois, il ne toucha pas aux assises du modèle oligarchique : la propriété foncière demeura le bastion des groupes dominants, le laisser-faire constituant toujours le principe d'insertion de l'Argentine dans le capitalisme mondial. Sous la pression du pouvoir conservateur, Yrigoyen reconduira plusieurs des mesures antipopulaires que l'on croyait périmées avec l'avènement du radicalisme, dont la répression sanglante des ouvriers en grève.

Une telle expérience démocratique, vacillante et imparfaite, fut tolérée par les élites tant et aussi longtemps que leurs privilèges n'étaient pas menacés. Mais la production agro-pastorale dépendait fortement du marché international, ce qui la rendait très vulnérable aux crises cycliques du capitalisme mondial. Lors de la dépression de 1930, qui affecta sévèrement le pays, la peur d'une explosion sociale se répandit. Les excès populistes de Yrigoyen (et sa sénilité de plus en plus notoire) ne pouvaient qu'ajouter au danger appréhendé. Ainsi, l'armée — qui s'était professionnalisée et qui avait acquis une claire conscience de ses

---

49. François Gèze et Alain Labrousse, *Argentine : révolution et contre-révolutions*, Paris, Éditions du Seuil, 1975, p. 26.

intérêts et de son esprit de corps — déclencha un coup d'État, mettant un terme au règne du Parti radical (qui avait remporté successivement les élections de 1922 et 1928). Bref, le progrès vertigineux et indéfini de l'Argentine touchait à sa fin et, dans une conjoncture où le revenu national stagnait, la démocratie n'était plus admissible aux yeux des détenteurs du pouvoir financier et économique. Comme le résume Alain Rouquié, en période de « vaches maigres », le « contrôle à distance » pratiqué par les élites n'est plus suffisant[50].

Si l'inefficacité et la corruption de l'administration radicale donnèrent l'excuse à l'intervention militaire, ce fut une configuration de raisons plus profondes qui avait rendu socialement acceptable un geste aussi antilibéral. Il faut, en effet, signaler qu'un changement de mentalité s'était produit à travers la diffusion des idées corporatistes dans la culture dominante et des craintes face au spectre du communisme[51]. En Europe, on le sait, l'heure était aux particularismes et aux visions organicistes de la vie collective. C'est donc sur ce fond idéologique que le discours des putschistes inaugurait un thème que l'on retrouverait désormais dans la rhétorique de tous les régimes autoritaires en Argentine : celui de la lutte contre la dissolution de la nation.

> Nous avons attendu patiemment avec l'espoir d'une réaction salvatrice, mais en face de la pénible réalité présentée par le pays au bord du chaos et de la ruine, nous assumons envers lui la responsabilité d'éviter son écroulement définitif. [...] En faisant appel à la force pour libérer la nation de ce régime abominable, nous le faisons en nous inspirant d'un idéal élevé et généreux. Les faits, par ailleurs, démontreront que nous ne sommes guidés que par le bien de la nation[52].

Quelle était cette nation qu'il fallait préserver du chaos et de la ruine ? Un « idéal », comme le dit le général-président. Cette représentation s'inscrivait dans un large mouvement de revendication de l'« âme nationale », menacée autant par la diversification de la population (qui dénaturait la « noblesse » du caractère argentin et la pureté de la

50.   Alain Rouquié, *Pouvoir militaire et société politique en République Argentine*, Paris, Presses de la Fondation nationale des sciences politiques, 1978, p. 206.
51.   José Luis Romero, *El desarrollo de las ideas, op. cit.*, p. 128-129.
52.   José F. Uriburu, « Manifeste au peuple », s. l., 6 septembre 1930.

langue espagnole), que par les valeurs matérialistes et socialisantes. Il est intéressant de rappeler que, dans ce contexte, la figure du *gaucho*, ayant incarné dans l'imaginaire dominant les tendances archaïsantes les plus détestées (associées à Rosas), allait se métamorphoser en symbole du patriotisme courageux, guerrier et héroïque[53]. Cette revalorisation graduelle de l'héritage hispanique, de la campagne et de sa population métisse s'associait au déclin de l'image de l'immigrant comme « porteur de civilisation ». Celui-ci était devenu l'agitateur insolent et ingrat envers son pays d'accueil, le plébéien qui avait usurpé le pouvoir par le biais du radicalisme. En 1909, l'écrivain Ricardo Rojas avait publié un ouvrage très influent, *La Restauración Nacionalista*, où il critiquait l'impact culturel de l'immigration. Il soutenait qu'Alberdi et Sarmiento avaient trop insisté sur les avantages du progrès économique, en oubliant la dimension spirituelle à la base de toute grande nation. Une vision de la vie collective aux traits romantiques s'était développée, en effet, au sein des cercles cultivés de la société créole[54].

Pourtant, si le « type humain » des nouveaux citoyens ne correspondait pas aux attentes de l'élite, il n'en demeurait pas moins que ces Argentins de souche étrangère étaient bel et bien en train de former une communauté. Ainsi, les voyageurs qui visitaient le pays au début du siècle s'étonnaient du mélange à l'œuvre, autant par sa diversité que par la réussite de son intégration[55]. On parlait déjà d'une personnalité et d'une vitalité proprement argentines :

> Tout ce que je peux dire, c'est qu'il y a des caractéristiques argentines qui sont déjà pleinement visibles dans ce conglomérat de races latines[56].

53. Viviana Fridman, « Les immigrants face à l'argentinité : le mythe des *gauchos judíos* », dans Marie Couillard et Patrick Imbert (dir.), *Les discours du Nouveau Monde au XIXe siècle au Canada français et en Amérique latine*, Ottawa, Légas, 1995, p. 131-147.

54. Carl Solberg, *op. cit.*

55. Cristián Buchruker, « Notas sobre la problemática histórico-ideológica de la identidad nacional argentina », dans Mario Rapoport (dir.), *Globalización, integración e identidad nacional : análisis comparado Argentina-Canadá*, Buenos Aires, Grupo Editor Latinoamericano, 1994, p. 319.

56. Georges Clemenceau, *South America To-Day : A Study of Conditions, Social, Political, and Commercial, in Argentina, Uruguay and Brazil*, New York, Putnam, 1911, p. 148.

Dans la deuxième génération, les immigrants de toutes les nations deviennent normalement des Argentins fermes et cette assimilation facile des nouveaux éléments ethnologiques est l'un des signes les plus frappants de l'énergie de la nation dans son ensemble, et c'est le fait le plus prometteur en ce qui concerne la future stabilité politique du pays[57].

Cette impression se maintiendra au cours des décennies suivantes. Les observateurs étrangers continueront de remarquer non seulement l'effacement rapide des différences entre les natifs et les descendants des immigrants, mais l'enthousiasme avec lequel ces derniers adoptaient leur nouvelle nationalité :

> L'une des choses qui impressionnent le nouvel arrivant en Argentine est le degré auquel les diverses nationalités européennes se sont assimilées. [...] Non seulement les étrangers parlent l'espagnol, mais ils deviennent presque immédiatement des Argentins ardents[58].

> Les Argentins furent assimilés dans la vie et la culture de l'Argentine avec un rapidité surprenante. [...] L'Argentin de deuxième génération était habituellement le patriote le plus loyal et celui qui vantait le plus son pays de naissance. Il rejetait fortement l'altérité de ses parents, refusait d'apprendre leur langue — ou l'apprenait seulement de façon imparfaite — et avait honte de leurs erreurs quand ils parlaient l'espagnol[59].

Nous devons donc distinguer, dans cette période, deux tendances clés dans le processus de construction de l'Argentine moderne. D'une part, l'on assistait à une dérive ethniciste de la représentation identitaire qui rompait avec le « nationalisme libéral » du XIXe siècle, ce programme de patriotisme « civique » déployé à travers les institutions de l'État afin d'« argentiniser » les immigrants. D'autre part, on voyait naître une société complexe, hétérogène à bien des égards, mais de plus en plus égalitaire du point de vue des aspirations : le nouvel Argentin cherchait à faire valoir ses droits en tant que tel, il voulait s'approprier le pays qui était le sien et le radicalisme avait constitué, à cet

57.   William Alfred Hirst, *Argentina*, New York, C. Scribner, 1911, p. xxvii.

58.   John W. White, *Argentina, the Life Story of a Nation*, New York, Viking Press, 1942, p. 295.

59.   Robert Jackson Alexander, *An Introduction to Argentina*, New York, Praeger, 1969, p. 126.

égard, la voie d'accès au politique. Le repli nationaliste des groupes dominants fut bien sûr une réaction à cette nouvelle réalité, mais il ne constitua pas une mouvance monolithique : certains milieux conservateurs avaient une propension fasciste — José F. Uriburu lui-même, le putschiste de 1930, affiche ses sympathies pour la pensée corporatiste —, mais ceux qui l'emportèrent furent les secteurs qui demeuraient attachés au capitalisme mondial et qui tenaient — du moins dans les formes — à la Constitution de 1853. En 1932, ils trouvèrent la formule politique qui leur convenait : tout en gardant un semblant de démocratie, ils mirent sur pied un système de fraude électorale — conçu comme une « fraude patriotique » — dans le but d'exclure le radicalisme du pouvoir.

Sur le plan économique, les années 1930 eurent une signification toute particulière. Alors que l'interventionnisme de l'État s'intensifiait suivant les tendances mondiales (création de la Banque centrale, régulation de la production rurale afin de maintenir les prix des denrées, instauration d'un système national de subventions et de crédits, etc.), il se développait une industrie de substitution des importations. On assista, durant toute la décennie, au resserrement des liens commerciaux avec le Royaume-Uni et à l'octroi de privilèges aux intérêts britanniques (consacrant une dépendance que beaucoup jugèrent scandaleuse), ce qui alimenta l'animosité des groupes nationalistes envers le monde anglo-saxon. Quand les États-Unis s'engagèrent dans la Seconde Guerre mondiale à la fin de l'année 1941, le gouvernement argentin fut confronté au problème de définir son alignement, car les Américains devaient stratégiquement gagner l'entièreté du continent à la cause des Alliés. De fortes pressions furent exercées depuis Washington et le président Ramón Castillo, sympathisant nazi, fut forcé de désigner un candidat présidentiel prêt à rompre les relations diplomatiques avec l'Allemagne. Le 4 juin 1943, les secteurs germanophiles de l'armée, qui voulaient à tout prix maintenir la neutralité, délogèrent le président Castillo et mirent fin au régime conservateur[60]. L'Argentine sera l'un

---

60. Quoiqu'il ne faut pas croire à l'existence d'une sorte d'alliance ou de pacte entre les nationalistes argentins et le régime nazi en Allemagne, leur convergence idéologique (holisme social, messianisme politique, antilibéralisme, etc.) et géo-

des derniers pays en Occident à déclarer la guerre aux puissances de l'Axe, soit le 27 mars 1945.

L'irruption du peuple

Après la chute de Yrigoyen, on assista en Argentine à un processus de restructuration de la carte sociale à la faveur du développement accéléré d'une industrie légère, productrice de biens de consommation visant la demande interne (notamment dans les secteurs du textile et de l'alimentation). Le ralentissement du commerce mondial et la conséquente difficulté d'importer certains articles (en raison de la pénurie de devises) avait créé un vide qu'une multitude de petites entreprises et d'ateliers s'empressa de combler. Cette croissance capitaliste — non planifiée, mais aidée par l'attitude tièdement protectionniste du gouvernement — ne généra pas de redistribution du revenu, l'État conservateur assurant, au moyen de la manipulation électorale et de la répression, la docilité des travailleurs et leur marginalisation de la politique et du marché. La dynamique d'industrialisation favorisa la migration de milliers d'habitants des provinces vers Buenos Aires (la baisse des prix internationaux des denrées ayant provoqué beaucoup de chômage dans la campagne), ce qui fit exploser le nombre de travailleurs dans la région métropolitaine. Les migrants, exclus du système, mal payés et discriminés par la société locale (souvent à cause de l'origine métisse de plusieurs d'entre eux), s'installèrent dans la périphérie de la ville, créant de vastes banlieues de logements précaires.

À l'aube des années 1940, la situation ouvrière se caractérisait ainsi par un sentiment répandu de frustration vis-à-vis des institutions, mais aussi par une ferme conscience syndicale (dont les origines remontaient aux expériences socialistes et anarchistes du début du siècle) et par une position de plus en plus combative depuis que les conservateurs au pouvoir avaient entamé, en 1938, un virage de libéralisation (permettant, par exemple, le fonctionnement de la CGT, Confédération générale des travailleurs). Juan Carlos Portantiero et Miguel Murmis affirment que, du point de vue des grandes tendances socio-

politique (notamment autour de l'antiaméricanisme) donna lieu à certains rapports et échanges concrets.

économiques, le péronisme fut le résultat de la convergence entre une fraction bourgeoise montante liée à l'industrie nationale, un nouveau prolétariat urbain prêt à exprimer ses doléances et un État qui, à travers le déploiement des mesures interventionnistes, avait acquis une certaine autonomie en tant qu'instance centrale de la régulation. Les militaires, par ailleurs, avaient déjà goûté aux avantages de maîtriser les rênes du pouvoir politique. Selon Portantiero et Murmis, « la satisfaction des revendications ouvrières accumulées pendant la première phase de l'accroissement substitutif coïncidera avec le projet de développement économique d'un secteur propriétaire[61] ». En effet, le besoin d'un marché de consommation pour les manufactures argentines, doublé de la nécessité de fonder une instance de légitimation pouvant reconduire le programme d'industrialisation, constituaient le terrain d'entente possible entre les groupes d'affaires, les salariés et la bureaucratie militaire. Il fallait, bien sûr, compter sur un élément de cohésion pouvant la réaliser : ce fut l'extraordinaire charisme d'un homme, Juan Perón, qui cimenta l'alliance interclasse et lui conféra son identité collective. La conjoncture, à la fin de la Seconde Guerre mondiale, était certes très favorable à un tel amalgame : un important surplus de la balance extérieure (dû à la reprise des exportations agro-pastorales et à la remontée des prix internationaux) permettait l'application des mécanismes de redistribution tant attendus par le peuple. L'idéologie corporatiste promue par l'Espagnol José Antonio Primo de Rivera, lui-même inspiré par l'Italie de Benito Mussolini, apportait la formule qui rendait viable cet espèce de capitalisme d'État. La conception collectiviste du projet était on ne peut plus claire : « La liberté sera de moins en moins le droit de chacun de faire ce qui lui plaît, pour devenir de plus en plus l'obligation de faire ce qui convient à la collectivité[62]. »

Perón et le péronisme

Le colonel Perón appartenait au groupe d'officiers qui avait mené le coup militaire de 1943. En contrôlant le secrétariat d'État au Travail,

---

61. Juan Carlos Portantiero et Miguel Murmis, *Estudios sobre los orígenes del peronismo*, Buenos Aires, Siglo XXI, 1984, p. 116.
62. Juan Perón, *La Nación*, 18 juin 1950.

il avait cherché à consolider une relation étroite avec les organisations ouvrières. Il favorisa la signature de conventions collectives, élargit le système de retraites et de vacances payées et chassa les militants communistes et socialistes des syndicats. Son influence grandissait au sein du gouvernement et, en 1944, il fut nommé vice-président et ministre de la Guerre. L'orientation ouvriériste du régime s'accentua et, quand le patronat commença à résister aux politiques sociales de Perón, les travailleurs le soutinrent ouvertement. Le gouvernement céda pourtant aux pressions des élites : le 9 octobre 1945, il le destitua et l'emprisonna. Or, quelques jours plus tard, le 17 octobre, les masses faisaient irruption sur la scène politique. Des milliers d'hommes et de femmes montèrent des banlieues pauvres vers la Place de Mayo, pour réclamer la libération de Perón. Bien que mobilisés et encadrés par certains chefs syndicaux, ils exhibaient une ferveur qui ne pouvait pas être que le résultat d'une manipulation calculée de la part de leur leader. Les colonnes d'ouvriers atteignirent le centre et paralysèrent complètement la ville. Le gouvernement, n'osant pas faire intervenir l'armée devant cette marée humaine, décida, après de longues tractations, de faire amener Perón afin de tranquilliser les foules. C'est peu avant minuit qu'il apparut enfin au balcon de la *Casa Rosada* — siège du Pouvoir exécutif — et s'adressa aux *descamisados* (« sans-chemise »). Ce moment devenu mythique, où le peuple scella un pacte avec son *conductor*, a marqué le début d'une nouvelle ère dans l'histoire de l'Argentine. Le premier mot qu'il prononça fut « Travailleurs ». La longue ovation qui suivit cette interpellation fit comprendre que les destinataires privilégiés du discours péroniste venaient d'être nommés et définis[63].

L'année suivante, les militaires au pouvoir convoquèrent des élections générales et le Parti travailliste, fondé par Perón, obtint 55 % des voix. Treize des quatorze provinces furent conquises par les candidats du travaillisme qui remporta aussi le contrôle absolu des deux chambres au parlement fédéral. Pour accéder à la présidence, Perón s'était appuyé sur un ensemble de forces hétérogènes : outre les radicaux dissidents et certains groupes conservateurs attirés par les positions isolationnistes, il sut rallier tous ceux que les autres partis de droite et de

---

63.   Emilio de Ipola, *Ideología y discurso populista*, Buenos Aires, Folios, 1983, p. 179.

gauche avaient ignorés ou laissés pour compte. Orateur au talent exceptionnel, il s'adressa aux Argentins déçus de la politique traditionnelle. Le ton populiste de ses allocutions ne laissait personne indifférent :

> Frères, nous sommes en train d'écrire des pages sereines dans le livre de l'histoire argentine ; nos pensées, nos sentiments, notre courage s'enracinent dans la tradition nationale ; nous creusons le sillon, nous jetons la semence pour faire fleurir une patrie libre qui n'admet pas les marchandages de souveraineté ; et nous voulons aussi libérer les travailleurs. Suivez-nous ; notre cause est la vôtre ; nos objectifs se confondent avec vos aspirations ; car nous voulons seulement que notre patrie soit socialement juste et politiquement souveraine[64].

Juan Perón fut autant à l'origine d'une manière particulière de faire la politique que d'une manière de « dire » la politique en Argentine : c'est avec lui que la parole devint un puissant instrument de mobilisation sociale. Il ne s'agit bien sûr pas d'affirmer que la vie politique jusque-là s'était passée de toute dimension discursive. La rhétorique nationaliste, le recours à des images métaphoriques et l'invocation de valeurs emblématiques faisaient déjà partie de la dynamique politique argentine, notamment depuis l'arrivée du radicalisme au pouvoir en 1916. Mais ce ne sera qu'avec le péronisme que le discours politique acquerra une efficacité qualitativement différente. Perón se mit au centre d'un *récit* — une narration qui structure dans un tout significatif les objets, les acteurs, l'espace et le temps — pouvant relier l'expérience subjective des citoyens aux grandes représentations collectives : la nation, le peuple, le destin, etc. Il est important de signaler que, d'après Silvia Sigal et Eliseo Verón, la spécificité et la continuité du discours péroniste ne résident pourtant pas dans des invariants de contenu, mais plutôt dans des « invariants énonciatifs » : il ne s'agit pas d'éléments qui composent une idéologie parmi d'autres, « mais des éléments qui déterminent une manière particulière d'articuler la parole politique au système politique[65] ». En fait, ce qui ressort, c'est l'existence d'une « logique discursive » qui est capable d'« absorber » les

---

64. Juan Perón, Discours de clôture de la campagne électorale de 1946 ; cité dans Georges Béarn, *La décade péroniste*, Paris, Gallimard, 1975, p. 158.

65. Silvia Sigal et Eliseo Verón, *Perón o muerte. Los fundamentos discursivos del fenómeno peronista*, Buenos Aires, Legasa, 1986, p. 22.

contenus les plus divers. Cette structure énonciative se caractérise notamment par la « position de l'énonciateur en dehors du champ politique », la « mise à distance du peuple », la représentation de l'adversaire comme un « résidu » et l'« homologie entre le statut du leader et les collectifs » (la nation, la patrie)[66]. Il s'agit, bref, de la définition d'une opposition « Nous-Eux » qui se situe à un niveau suprapolitique. Ces auteurs distinguent donc le discours péroniste du discours totalitaire en ce que ce dernier comporte l'unification de tout le champ politique autour d'une seule vision idéologique.

Or, si le dispositif péroniste tendait à produire une sorte d'annulation du politique (car l'identité se définissait avant tout comme une loyauté, comme une appartenance), il demeure néanmoins possible de saisir dans le discours certains axes qui structurent la représentation du monde. Ainsi, on remarque l'importance du thème de « la grandeur de la patrie », notamment lorsque Perón évoquait le jour où « l'Argentine commencera une ascension qui ne s'arrêtera pas avant que la Grande Argentine dont nous rêvons tous soit devenue une réalité[67] ». L'idée de la « Grande Argentine » s'articulait à un projet d'étatisation, de centralisation et d'autarcie qui romprait avec la dépendance économique. Cet aspect était, en effet, central : il s'agissait de cesser d'avoir recours aux capitaux étrangers (surtout britanniques), en rapatriant la dette extérieure et en nationalisant les services publics, les ressources énergétiques, les transports et les communications. La gestion économique péroniste se caractérisa donc par le dirigisme le plus accentué : à travers le contrôle du crédit et du commerce extérieur, le gouvernement força le transfert du revenu du secteur agricole au secteur manufacturier. La stratégie était fondée sur l'essor continu des exportations de blé et de viande afin de financer l'importation de biens d'équipement, les investissements en infrastructures et les politiques sociales. La prégnance de l'orgueil national constituait un facteur essentiel dans cette dynamique de rupture avec l'Argentine libérale et cosmopolite des « pères fondateurs » : il fallait croire à la valeur intrinsèque du fait

66. *Ibid.*, p. 232.
67. Juan Perón, Message du 29 juillet 1946.

que les trains, les avions et les téléphones appartiennent collectivement à tous les Argentins[68].

Le rôle de l'épouse de Juan Perón, Eva Duarte (Evita), fut fondamental dans la construction du rapport affectif avec le peuple. En tant que « leader spirituel du peuple », elle se consacra à développer tout un système d'assistance sociale — certes fondé sur l'aléatoire et l'arbitraire dans la distribution des secours — et obtint, entre autres, la constitutionnalisation de l'égalité civique des femmes, qui votèrent pour la première fois aux élections de 1951 (dans lesquelles Perón fut réélu, après avoir modifié la Constitution en 1949 afin d'éliminer la clause interdisant la réélection du président en exercice). Or, le 26 juillet 1952, Evita mourut. La mort de ce personnage emblématique du péronisme — qui contribuait de façon active à l'encadrement des chefs du mouvement ouvrier — porta un grand coup au régime. C'est aussi autour de cette époque que le leadership de Perón commença à s'affaiblir et, alors que certains aspects controversés de sa vie privée contribuèrent à ternir son image publique, il fut confronté à un climat de morosité en raison de la détérioration des conditions économiques (car les exportations déclinaient en raison de la récupération de la production agraire dans l'Europe d'après-guerre).

Le président se replia progressivement sur son pouvoir discrétionnaire, exacerbant ainsi le penchant autoritaire d'un gouvernement qui, depuis 1949, étranglait de plus en plus la société civile à travers la propagande, le conformisme et la répression. Quand il affronta l'Église en 1954 (en faisant approuver, par exemple, des lois sur le divorce, sur l'ouverture de bordels et sur la suppression de l'enseignement religieux), il perdit l'appui des secteurs nationalistes et catholiques dans l'armée. Un contrat signé peu après avec la compagnie pétrolière américaine Standard Oil ne fit qu'accentuer l'aliénation de ces groupes. Lors d'une tentative de coup d'État en juin 1955 (où des avions bombardèrent le siège du gouvernement et la Place de Mayo et tuèrent entre 200 et 300 personnes), Perón évoqua publiquement la possibilité de

---

68. Diana Quattrocchi-Woisson, *Un nationalisme de déracinés : l'Argentine, pays malade de sa mémoire*, Paris, Éditions du CNRS, 1992, p. 366.

constituer des milices civiles dans le cadre des associations syndicales[69]. Le sort du péronisme était scellé. Le 16 septembre 1955, le général Eduardo Lonardi, avec l'appui de la marine de guerre et le soutien passif d'une grande partie des autres forces armées, réussit à déloger le régime. Les masses populaires ne sortirent pas dans les rues pour le défendre et Perón lui-même se montra peu déterminé à se battre. Il se réfugia quelques jours plus tard dans l'ambassade du Paraguay et fit parvenir sa démission aux chefs des troupes soulevées. Il s'exila par la suite au Venezuela, en République Dominicaine et, enfin, en Espagne.

L'ère des dictatures

Le contrôle de la *Revolución Libertadora* (révolution libératrice) — désignation adoptée par les rebelles — passa aussitôt aux mains des généraux Pedro Eugenio Aramburu et Isaac Rojas (devenus président et vice-président, respectivement, du gouvernement militaire), deux représentants de la tradition « libérale » dans l'armée, c'est-à-dire viscéralement antipopuliste en politique et conservatrice en économie. Dans leur « Charte républicaine de la Révolution », on pouvait lire :

> La finalité première et essentielle de la Révolution a été de démettre le régime de la dictature. Nous avons triomphé dans la lutte armée. Nous devons maintenant supprimer tous les vestiges du totalitarisme afin de rétablir l'empire de la morale, de la justice, du droit, de la liberté et de la démocratie[70].

Le gouvernement entreprit une démarche d'éradication systématique du péronisme, autant sur le plan institutionnel que symbolique. La CGT et la plupart des syndicats furent mis sous tutelle officielle, le parti péroniste fut dissous et la Constitution de 1949 fut immédiatement abrogée. En 1957, une assemblée constitutionnelle fut convoquée afin de restaurer celle de 1853. Toute référence publique au péronisme fut interdite. Le discours reprenait, comme lors du coup de 1930 contre le radical Hipólito Yrigoyen, l'idée de la « normalisation », du

---

69. Marvin Goldwert, *Democracy, Militarism, and Nationalism in Argentina, 1930-1966*, Austin, University of Texas Press, 1972, p. xx.
70. *Carta Republicana de la Revolución. Declaración de principios*, Buenos Aires, Secretaría de Prensa de la Presidencia de la Nación, 1955.

« retour à l'ordre ». Ce projet « républicain » — appuyé par les propriétaires fonciers, les grands industriels et les intérêts étrangers — se fondait néanmoins sur une vision politique extrêmement intolérante :

> La Révolution affirme que nous, enfants de cette terre, croyons en notre seule Argentine, avec son histoire unique. Et sont ennemis irréconciliables de l'argentinité ceux qui prétendent déformer l'âme nationale, que ce soit fait de l'extérieur ou de l'intérieur[71].

Des élections générales eurent lieu le 23 février 1958, le péronisme demeurant toujours proscrit. En tant que candidat présidentiel présenté par une scission du radicalisme, Arturo Frondizi obtint l'appui de Perón — en lui promettant la réintégration du péronisme au système politique — et remporta 49 % des voix. Avec un programme « développementiste » et assisté par une équipe de technocrates, il mit en œuvre une certaine expansion économique sur la base d'investissements étrangers et de mesures à teneur monétariste. Le coût social des réformes — qui affectaient le niveau de vie des couches moyennes et basses — ne tarda pas à se manifester et le syndicalisme, toujours péroniste, opposa une résistance de plus en plus ferme. L'armée se tenait sur ses gardes dans ce contexte d'instabilité, sans trop se fier à un président dont les sympathies idéologiques restaient encore suspectes (mentionnons, par exemple, la rencontre officielle de Frondizi avec *Che* Guevara, alors ministre cubain, en 1961). Quand les partis d'obédience péroniste remportèrent huit provinces (dont celle de Buenos Aires) aux élections complémentaires de mars 1962, les militaires décidèrent de ne plus prendre de risques : ils destituèrent le président, dissolvèrent le Congrès et annulèrent les résultats du suffrage. Durant les dix-huit mois suivants, les groupes « constitutionnalistes » des forces armées affrontèrent les secteurs plus autoritaires, ce qui donna lieu à quelques combats dans les rues de Buenos Aires.

Finalement, de nouvelles élections furent convoquées en juillet 1963. Les péronistes votèrent majoritairement en blanc comme geste de protestation et le radical-populaire Arturo Illia (candidat d'une scission de l'UCR), avec seulement 26 % des voix, fut nommé prési-

---

71.   Pedro Eugenio Aramburu, Message présidentiel présentant le « Programme du gouvernement provisionnel », 18 février 1956.

dent. La situation politique demeura cependant bloquée et, trois ans plus tard, en juin 1966, il fut aussi délogé du pouvoir par les militaires. Tous les partis politiques furent dissous et la « Révolution argentine », aux commandes du général Juan Carlos Onganía, assuma alors la tâche de « rendre efficace l'économie » tout en assurant la stabilité sociale. Tandis qu'un plan très sévère de redressement des finances publiques était mis en marche (incluant le gel des salaires et la fermeture des entreprises étatiques déficitaires), le gouvernement déploya un système répressif dont l'ampleur était inusitée, s'inspirant de l'idée que l'Argentine était en proie à une crise dont les racines étaient, avant tout, spirituelles :

> L'oubli de la tradition historique et de la force spirituelle que nécessite toute grande entreprise a frustré d'autres essais. L'idéal ne suffit pas à lui seul, il faut mettre la vie à son service. Si demain nous résolvions tous nos problèmes économiques, l'impasse continuerait, faute du souffle vivifiant de l'idéal, sans lequel on ne fait pas la patrie[72].

Encore une fois, la formule du « libéralisme d'État » donna lieu à des manifestations de mécontentement : surtout les salariés, mais aussi d'autres groupes comme les petits propriétaires et les producteurs de certaines régions délaissées par la politique économique. Les actions de quelques organisations clandestines (notamment le groupe trotskiste Armée révolutionnaire du peuple et le groupe péroniste *Montoneros*) ajoutèrent au climat de contestation et, en mai 1969, la ville de Córdoba fut l'épicentre d'une insurrection populaire de grande envergure. Le général Juan Carlos Ongania, dont la crédibilité auprès de ses collègues fut affaiblie par cet événement, se vit contraint d'abandonner la présidence. L'échec du projet militaire devint évident et les chefs de l'armée s'affairèrent à préparer une sortie convenable de l'impasse politique, ce qui ne pouvait qu'entraîner une quelconque forme de reconnaissance du péronisme. Après maintes tractations, ils annoncèrent la tenue d'un suffrage, le 11 mars 1973. Tous les partis étaient admis, y compris le péroniste, mais Juan Perón lui-même demeurait inhabilité. Celui-ci choisit donc Héctor Campora comme candidat, sûr de sa fidélité.

---

72. Juan Carlos Onganía, Message présidentiel de fin d'année transmis par la radio et la télévision, 30 décembre 1966.

À la suite des premières élections relativement libres depuis 1952, le Front Justicialiste de Libération (FREJULI) de Perón remporta la majorité des voix. Héctor Campora devint président de la république en mai 1973, mais démissionna deux mois plus tard afin de laisser la voie libre à Perón. Le retour si attendu du leader au pays, après dix-huit ans d'exil, se fit sous le signe de la violence : alors que la foule attendait près de l'aéroport d'Ezeiza, des factions rivales du péronisme ouvrirent le feu et laissèrent une vingtaine de morts et quelque trois cents blessés. Cet épisode de violence irrationnelle au sein du mouvement laissait présager les difficultés auxquelles le nouveau gouvernement civil aurait à faire face. Perón lança un appel à la réconciliation entre les Argentins, en soulignant que l'heure n'était plus aux antagonismes mais à la collaboration et à l'unité nationale, au-delà de toute divergence idéologique. D'après Gérard Guillerm, le diagnostic proposé par Perón en 1973 était : l'Argentine se trouve dans une situation caractérisée, d'une part, par l'effondrement de l'économie (dette extérieure, inflation, récession) et, d'autre part, par la « destruction des valeurs morales et civiques », par une « décomposition de l'homme argentin »[73]. Le 23 septembre 1973, Juan Perón, accompagné par sa troisième épouse, María Estela Martínez (surnommée Isabelita), remporta 62 % des voix.

Moins d'un an plus tard, le 1er juillet 1974, le leader mourut et Isabelita lui succéda. Les tensions entre les divers courants secouaient de plus en plus le péronisme et le tournant vers la droite, amorcé par Perón peu avant sa disparition, se consolida sous la présidence de son épouse. Les groupes de gauche passèrent à la résistance armée et aux attaques terroristes contre des cibles militaires, alors que des escadrons de la mort (dont l'Alliance anticommuniste argentine) tolérés et même soutenus par l'État inaugurèrent une campagne de terreur, assassinant des guérilleros, mais aussi des syndicalistes et des intellectuels contestataires. La présidente s'avéra tout à fait incompétente et l'on assista à la montée, dans son entourage intime, d'un conseiller aussi manipulateur qu'illuminé : José López Rega, surnommé « le Sorcier ». Son

---

73. Gérard Guillerm, *Le Péronisme : histoire de l'exil et du retour*, Paris, Publications de la Sorbonne, 1984, p. 99.

influence se manifestait autant dans le discours officiel, qui devenait de plus en plus chimérique, que dans ses scandaleuses stratégies de concentration du pouvoir. Alors que les problèmes économiques s'accumulaient, María Estela Martínez s'accrocha à un pays illusoire, toujours le meilleur du monde :

> Dans le cadre d'une crise mondiale, l'Argentine a accompli jusqu'ici un miracle virtuel. Alors que dans les autres pays s'amenuisaient les salaires réels, se réduisait la consommation populaire, ici on atteignait une situation de plein emploi, ce qui n'a eu aucun précédent dans les décennies antérieures. Cela constitue une situation de privilège qui justifie l'orgueil national[74].

Le 24 mars 1976, dans un contexte de profonde crise économique et politique, les forces armées s'emparèrent du gouvernement une fois de plus. Une large partie de l'opinion publique appuya le coup, dans l'attente d'un retour à l'ordre. Les militaires menèrent une répression meurtrière contre toute forme d'opposition, emprisonnant, tuant ou faisant disparaître des militants de gauche, des journalistes, des universitaires, des religieux et des étudiants. L'État avait en effet déclaré une guerre totale à la société civile car, selon ce qu'expliqua en avril 1976 le président *de facto* Jorge Rafael Videla, « la subversion n'est pas un problème qui nécessite seulement une action militaire, c'est un phénomène global qui requiert aussi une stratégie globale de lutte dans tous les domaines : de la politique, de l'économie, de la culture et de l'armée[75] ». Or, après cinq ans de dictature, l'Argentine se trouvait encore au bord du chaos économique et social. Le programme économique du ministre José Martínez de Hoz avait surtout encouragé la spéculation financière sur la base de taux d'intérêt réels démesurés. En 1981, la montée de l'inflation (131 % par année, la plus élevée du monde) et du chômage, la dévaluation de la monnaie et la chute des salaires provoquaient une paralysie quasi totale des activités productives. Ayant contribué au démantèlement de l'industrie manufacturière locale par le biais de l'élimination des tarifs douaniers et de la

---

74.   María Estela Martínez, Allocution du 24 février 1975, cité dans Gérard Guillerm, *ibid.*, p. 122.

75.   Cité dans Franck Lafage, *L'Argentine des dictatures (1930-1983) : pouvoir militaire et idéologie contre-révolutionnaire*, Paris, L'Harmattan, 1991, p. 115.

conséquente inondation du marché par des produits importés, l'État augmentait sans cesse ses dépenses : achats d'armements, constructions pharaoniques, rachat d'entreprises en faillite, gonflement de la bureaucratie. La dette extérieure devint gigantesque et ses intérêts, dont les échéances s'approchaient, ne pouvaient être payés que par de nouveaux emprunts. Dans ce contexte de crise et de paupérisation croissante, les travailleurs commencèrent à sortir dans les rues pour manifester leur mécontentement et les principaux partis mirent sur pied une coalition visant à pousser le gouvernement à négocier une « ouverture politique ».

Au début de 1982, le climat de contestation populaire se généralisa. Le régime décida alors de faire un coup de théâtre afin d'obscurcir les enjeux et de rallier les Argentins autour d'une cause commune : le 2 avril, les militaires « récupéraient » les îles Malouines qui, occupées par le Royaume-Uni depuis 1833, constituaient l'objet d'un contentieux émotif très puissant. La junte, commandée par le général Leopoldo Galtieri, obtint l'effet escompté : une grande partie de l'opinion publique appuya l'opération et demeura plutôt favorable durant les deux mois de guerre qui suivirent. La réaction brutale et arrogante de l'Angleterre de Margaret Thatcher, ainsi que l'attitude probritannique des États-Unis, raviva les rancunes anti-impérialistes de la gauche aussi bien que l'instinct nationaliste de la droite. Au milieu, la population compatissait pour les jeunes soldats et versait dans l'euphorie lorsque l'ennemi accusait des pertes. Un correspondant français décrivait ainsi la situation :

> Une chose est certaine : le moral de la population reste élevé et l'unité nationale plus solide que jamais. Rares sont les Argentins qui estiment que leur pays devrait se plier au « diktat » de Londres et de Washington[76].

Le 14 juin, l'armée anglaise, forte de sa supériorité professionnelle, technologique et logistique, reprit pourtant les îles, obtenant la reddition inconditionnelle des troupes argentines. La dictature avait joué sa dernière carte — celle de l'orgueil national — et avait échoué de façon humiliante. Les militaires perdirent toute légitimité et ne se

---

76. *Le Monde*, 5 mai 1982.

préoccupèrent, par la suite, que de trouver la manière la plus expéditive de se dessaisir du pouvoir sans avoir à payer pour les conséquences de la débâcle.

Le mythe du destin

L'instabilité et la violence ont été la constante en Argentine entre les années 1950 et les années 1980. Au cours de cette période, la bureaucratie militaire est devenue le partenaire étroit de la droite politique et l'exécuteur de programmes économiques favorables au patronat et aux investisseurs étrangers (anglais, d'abord, et plus tard américains). La dictature de 1976-1983 déploya un projet intégral de terreur, de désarticulation des liens de solidarité et de consolidation d'une économie de marché où les grands acteurs profitaient d'un extraordinaire système de spéculation financière tout en étant subventionnés par l'État. La guerre des Malouines représenta, par l'absurde, le climax de la fragmentation sociale en Argentine : seul un événement aux limites de la folie collective pouvait susciter l'illusion d'une réconciliation nationale.

La naissance de l'identité nationale en Argentine n'est pas sans rappeler la conception jacobine et centralisatrice de la république française qui tend à établir « une coïncidence complète entre l'identité culturelle et la nation, cette dernière étant d'ailleurs assimilée à l'État[77] ». Il va de soi que ce processus est idéologique, dans le sens qu'il vise une clôture et un monisme impossibles à réaliser et qu'il sert à normaliser un ordre social déterminé. L'élite argentine, vouée à s'articuler pleinement au marché mondial en raison de ses liens commerciaux et financiers, s'efforce de mettre sur pied un complexe institutionnel qui cristallise et ritualise une identité nationale autour des valeurs émancipatrices de la modernité. Lorsque les classes moyennes tentent de matérialiser l'idéal civique à travers l'exercice de la démocratie, elles se voient soudainement expulsées du politique. L'idéologie libérale et anglophile sera contestée de la gauche et de la droite : si le radicalisme et le socialisme répudient la subordination de la souveraineté nationale aux intérêts du capital étranger, les communautaristes

---

77. Edmond Marc Lipiansky, *op. cit.*, p. 264.

se rabattent sur l'autarcie et le grégarisme ethnique. Ce dernier offre, à travers le modèle populiste, une sortie de l'impasse conservatrice : quoique « frauduleuse », la démocratie doit mener tôt ou tard à une participation élargie.

Le péronisme constitue ainsi une solution de rechange au projet de la grande bourgeoisie foncière : sans le démanteler, il limite sa portée en lui superposant une dynamique d'industrialisation sous la direction de l'État. La formule interventionniste et corporatiste assure une période d'accalmie sociale qui dure une décennie, sans pour autant régler le problème de l'hégémonie politique. En effet, la bureaucratie militaire se rallie de plus en plus nettement du côté du capitalisme transnationalisé, le péronisme étant devenu — notamment au cours du long exil de Juan Perón — une forme de conscience de classe et donc un mouvement de contestation du pouvoir oligarchique. Mais l'emprise militaire sur le politique doit se légitimer au moyen d'un discours d'exaltation patriotique afin de masquer la contradiction intrinsèque d'un régime qui promeut la liberté économique des puissants et supprime les droits élémentaires des citoyens. Le coup de 1930 est effectué dans le but d'évincer la « démagogie électoraliste » des radicaux ; celui de 1943, pour en finir avec « la fraude et la corruption » des conservateurs ; celui de 1955, pour abolir « le totalitarisme » des péronistes ; ceux de 1962 et 1966, pour mettre fin au « désordre » des radicaux ; celui de 1976, pour combler le « vide du pouvoir » laissé par les péronistes. Dans tous les cas, il s'agit de sauver la nation et de la remettre sur la voie de son destin.

Mais il n'y pas que les militaires pour tenir ce discours sur un avenir glorieux qui aurait été escamoté. Nous avons déjà évoqué les paroles du président Duhalde (« l'Argentine est condamnée à la réussite »). Le président Frondizi voulait travailler « pour que l'Argentine devienne la grande nation que, pour son peuple et ses richesses naturelles, elle mérite d'être[78] ». Quelques années plus tôt, Perón avait annoncé que « le peuple argentin marche vers un destin dont il connaît la grandeur[79] ». Avant lui, un autre président proclamait que

---

78. Arturo Frondizi, Message à l'Assemblée législative, 1er mai 1959.
79. Juan Perón, Message à l'Assemblée législative, 1er mai 1950.

« notre idéal national est de devenir demain ce que les États-Unis sont [aujourd'hui][80] ». Cet idéal s'inscrit dans la logique de ce que le politologue Carlos Escudé appelle le « dogme de la supériorité argentine », dans lequel les successives générations ont été littéralement « endoctrinées » par le biais du système scolaire[81]. Dans ce cadre, l'Argentine se « pense » bloquée dans la réalisation de son potentiel. Il s'agit, en effet, de l'idée maîtresse que l'Argentine « n'est pas où elle devrait être » : elle a été dépouillée de sa richesse (par l'oligarchie et l'impérialisme, dira-t-on d'un côté de l'échiquier idéologique), elle a été malmenée, abîmée, gaspillée (par un peuple indiscipliné, par des politiciens démagogiques, dira-t-on dans la perspective contraire). Pour déchiffrer l'énigme argentine, il faut donc comprendre d'abord que le pays est conçu comme une promesse inaccomplie, comme un rêve grandiose qui attend toujours d'être réalisé.

80.   Carlos Pellegrini, cité dans Guido di Tella, « El renovado papel de la Argentina en el mundo », *Revista de Occidente*, n° 186, 1996, p. 34.
81.   Carlos Escudé, « Un enigma : la "irracionalidad" argentina frente a la Segunda Guerra Mundial », *Estudios Interdisciplinarios de América Latina y el Caribe*, vol. 6, n° 2, 1995, p. 17.

Chapitre 2

La transition démocratique

La transition argentine s'inscrit dans une vague de démocratisation qui toucha tout le continent durant les années 1980[1]. Même s'il est possible de signaler maints défauts dans le fonctionnement des démocraties latino-américaines contemporaines (concentration du pouvoir, corruption endémique, manque de transparence, clientélisme, etc.), on peut difficilement exagérer l'importance de cette profonde mutation. Mais il faut d'emblée écarter à ce propos un malentendu courant : les nations latino-américaines ne sont pas « jeunes » en ce qui concerne leur expérience politique. L'indépendance des peuples latino-américains était déjà accomplie vers 1830, précédant ainsi de plus d'un siècle les mouvements anticoloniaux et de *nation-building* du Tiers Monde. L'Amérique latine n'est donc pas née aux marges ou dans un prolongement tardif de la modernité politique ; au contraire, elle incarne de façon problématique — et peut-être extrême — le projet typiquement moderne de construction volontariste de nouvelles sociétés.

Tout au long du XXᵉ siècle, les pays latino-américains ont été le théâtre de luttes où la référence à la souveraineté du peuple et à la capacité de celui-ci de prendre en charge son destin collectif a été centrale. Pensons, par exemple, aux cas emblématiques de la Révolution

---

1. En 1979, dix des treize nations de l'Amérique du Sud se trouvaient sous l'emprise de régimes autoritaires. Au cours des années 1980, elles se donneront toutes, sans exception, des gouvernements constitutionnels. L'Amérique centrale suivra, avec un léger décalage, un parcours similaire. Cuba représente, bien évidemment, un cas très particulier dans ce contexte.

mexicaine de 1910, de la Révolution cubaine de 1956, de la Révolution Sandinista de 1979 au Nicaragua ou de l'insurrection zapatiste de 1994. Or le fait que les pays latino-américains se soient constitués comme nations de façon relativement précoce implique qu'ils ont été ébranlés dès le départ par les tensions que l'on connaît dans tout État moderne : celles liées à la problématique de la représentation politique, de l'unité nationale, de la justice sociale et de la citoyenneté comme principe de reconnaissance de droits et d'attribution de devoirs. Quoique les résultats de ces tensions aient très souvent été négatifs à l'égard de l'épanouissement des institutions et de l'avancement collectif, il est indéniable que les pays latino-américains possèdent une riche histoire de mobilisations populaires.

Malgré l'image stéréotypée d'une région perpétuellement et inéluctablement aux prises avec les autoritarismes de tout genre, l'idéal démocratique n'est donc pas du tout étranger à la culture politique latino-américaine et à l'expérience des acteurs. Dictateurs et révolutionnaires, réformistes et conservateurs, civils et militaires, tous les acteurs politiques ont invoqué l'une ou l'autre des grandes valeurs de la modernité : le progrès, la liberté, le droit, la justice, la souveraineté nationale et populaire. Cela révèle à quel point ce discours est au fondement de toute légitimité politique en Amérique latine, en ce qu'il dresse les balises à l'intérieur desquelles les acteurs considèrent que la vie collective *devrait* se déployer. Dans ce contexte, la démocratisation des années 1980 constitue une phase d'une importance historique extraordinaire pour toute la région. Elle est l'aboutissement d'une démarche de prise de conscience, d'apprentissage et de participation citoyenne, fondée sur la mémoire d'innombrables luttes pour l'inclusion et la recherche du bien commun. Mais elle rend, aussi, encore plus visibles les énormes difficultés auxquelles font face des sociétés marquées par l'inégalité extrême.

La démocratie s'appuie sur la construction efficace d'une identité inclusive — la qualité universaliste de citoyen primant sur celle de membre d'un groupe ou de supporter d'un parti — à travers des modalités d'énonciation qui font de la parole un instrument de l'action collective. Or l'« inflation discursive » inhérente à une période d'ouverture politique peut également contribuer à élargir l'écart entre les aspirations que la démocratie suscite — surtout quand elle a été longtemps vécue comme un idéal et non pas comme une réalité — et la capacité du système à y répondre. La mise en place d'un régime démocratique — avec ses inévitables lenteurs et tergiversations — peut s'avérer un processus pénible pour ceux qui l'ont longuement attendu. Comme nous le verrons dans ce chapitre, le cas argentin est exemplaire en ce qui concerne les occasions, les défis et les écueils d'une telle dynamique, où se succèdent des moments de grands espoirs et d'autres de forte désillusion.

La parole politique

Lorsque les militaires levèrent l'interdiction des partis politiques en juillet 1982, peu après la défaite des îles Malouines, Raúl Alfonsín s'attacha à organiser ce qu'il appela une « mobilisation populaire afin de restaurer définitivement la démocratie en Argentine ». Bon communicateur et à l'aise au milieu des foules, il parcourut toutes les régions du pays dans le but de convoquer tous les citoyens — et en particulier les jeunes qui avaient grandi pendant la dictature[2] — à la création d'une « nouvelle société ». Lors d'un rassemblement en décembre 1982, plus de 25 000 personnes le réclamèrent comme candidat présidentiel pour le radicalisme. Lors de la convention du parti en juillet 1983, il fut retenu par une écrasante majorité des délégués[3]. Il proclama alors son intention de récupérer la « promesse argentine » : on pouvait lire dans la plate-forme que ses objectifs consistaient principalement à « dépasser l'état d'urgence nationale », pour « consolider le pouvoir démocratique » et « créer les assises pour une période de stabilité, de justice et de développement ». Alfonsín se voua dès le début de la campagne à des causes éminemment progressistes comme l'éli-

---

2. À l'élection de 1983, il y eut environ 5 millions de nouveaux électeurs.

3. Au mois de juin, lors des élections primaires du Parti radical dans onze provinces, Raúl Alfonsín en gagna huit, s'imposant ainsi sur Fernando de la Rúa. Celui-ci, leader de l'aile conservatrice du radicalisme (le « balbinisme »), retira alors sa candidature. Alfonsín comptait, au sein du parti, sur l'appui presque inconditionnel des jeunes militants, très actifs en milieu communautaire et universitaire.

mination de la conscription obligatoire, la suspension des achats d'armements, l'augmentation du budget alloué à l'éducation et la lutte contre l'analphabétisme et la malnutrition. Il se fit le champion de la démocratie, mais aussi de la justice sociale. Son programme économique prônait le plein déploiement d'un État social, autant producteur que distributeur des richesses.

Durant la campagne, Alfonsín s'adressait à des auditoires immenses. Trois jours avant le scrutin, 400 000 personnes vinrent place de la République à Buenos Aires pour écouter son allocution de fin de campagne. Le Parti radical remporta les élections du 30 octobre 1983 avec 52 % des voix (incluant la majorité des femmes et des jeunes)[4]. Le candidat du péronisme n'obtint que 40 %. Même la province de Buenos Aires, traditionnel bastion du péronisme, vota pour les radicaux. À la surprise générale, le parti fondé par Perón était battu dans une élection nationale sans proscriptions pour la toute première fois[5]. La signification politique de cet événement était certes immense :

> En 1983, la victoire électorale de l'UCR [Union civique radicale] marquait un changement inouï en Argentine : pour la première fois depuis 40 ans, les Argentins votaient majoritairement et librement en faveur d'une formation autre que le parti justicialiste. L'ampleur de ce virage n'est comparable qu'à ceux qui ont porté au pouvoir le radical Hipólito Yrigoyen en 1916 et Juan D. Perón en 1946[6].

Le 10 décembre, cinq jours après que la junte des généraux se fut autodissoute, Raúl Alfonsín devint le 45ᵉ président de la République

---

4. Significativement, Alfonsín obtint le même pourcentage des voix que Perón lorsque celui-ci accéda à sa première présidence. Le péronisme recevait, quant à lui, le pourcentage de suffrages le plus bas de son histoire. La polarisation entre radicaux et péronistes ne laissa guère d'espace aux autres tendances politiques : le troisième parti (le Parti intransigeant, de gauche modérée) récolta à peine 4 % des voix.

5. Les leaders péronistes n'en revenaient simplement pas lorsque les résultats furent connus, et ils parlèrent de « manipulation des données ». L'un des premiers à reconnaître pourtant la victoire de Raúl Alfonsín fut Carlos Menem, qui réclama en même temps des changements dans la direction de son parti.

6. Yvon Grenier, « Contre la dictature : l'Argentine en transition », dans Jacques Zylberberg et Claude Emeri (dir.), *La démocratie dans tous ses États : Argentine, Canada, France*, Sainte-Foy, Les Presses de l'Université Laval, 1993, p. 26.

argentine, accompagné de Víctor Martínez comme vice-président. Dans la Chambre des députés, plus de la moitié des sièges (129 sur 254) revenaient au radicalisme ; il restait pourtant minoritaire au Sénat, les péronistes ayant remporté les provinces plus pauvres et moins populeuses du nord-est. Presque toute la classe moyenne et même une proportion significative des travailleurs industriels et syndiqués répondirent ainsi au message proposé par Alfonsín. Durant la campagne électorale, les formations politiques avaient dû rétablir très rapidement, après le long silence de la dictature, leurs canaux et leurs stratégies de communication. Les deux grands partis ont alors été confrontés au défi de réactiver leur patrimoine idéologique respectif tout en adaptant leur formulation à un contexte très différent[7]. Bien plus que de se démarquer sur le plan programmatique, il s'agissait essentiellement de reconstruire leur identité. C'est Alfonsín qui réussit à construire un *Nous* intégrateur — rassemblant « tous les Argentins » — à travers des mécanismes d'inclusion dépassant les appartenances traditionnelles[8].

Le régime militaire sortant qui, sous le nom de « Proceso de Reorganización Nacional » (Processus de réorganisation nationale), s'était imposé en 1976 avec la résolution d'en finir avec le « désordre » — notamment l'inflation, les grèves et la violence politique —, avait été incapable de redresser l'économie. L'état des choses dont le nouveau gouvernement devait hériter était certes catastrophique : 1000 % d'inflation, 15 % de chômage, 40 milliards de dollars de dette extérieure. Mais, ce qui était beaucoup plus grave, la dictature avait mené une répression brutale contre les syndicalistes, les intellectuels et les militants de gauche : au moins 9000 citoyens ont « disparu », peut-être plus de 15 000, et même davantage selon certaines estimations[9]. Les blessures psychologiques résultant de sept ans de terrorisme d'État, ainsi que l'humiliation de la défaite infligée par l'armée britannique aux

---

7. Leonor Arfuch, « Dos variantes del juego de la política en el discurso electoral de 1983 », dans *El discurso político : lenguajes y acontecimientos*, Buenos Aires, Hachette, 1987, p. 27-52.

8. *Ibid.*, p. 52.

9. Ronaldo Munck, *Latin America : The Transition to Democracy*, Londres, Zed Books, 1989, p. 97.

îles Malouines[10], poussèrent les Argentins à rêver à un avenir meilleur. Et la promesse d'Alfonsín fut celle de la paix sociale et de la prospérité partagée ou, en d'autres termes, de la rupture définitive avec le passé. Alors que tous les principaux partis ne firent rien d'autre que prendre leurs distances vis-à-vis du gouvernement militaire, ce fut lui qui interpréta le mieux l'aspiration démocratique des citoyens lassés de l'autoritarisme et de la violence politique[11]. Comme le montrèrent les sondages préélectoraux, la majorité d'Alfonsín se constitua en à peine quelques mois et se consolida surtout durant les jours précédant le scrutin. Son succès est fondamentalement dû au fait que le candidat centra sa campagne autour d'une consigne que les différentes élites argentines avaient jusque-là délaissée et même banalisée : la construction d'un État de droit. Cela signifia aussi une mutation majeure à l'égard de la culture prédominante au sein des partis populaires, qui s'étaient toujours définis par rapport à des antinomies du genre « peuple versus oligarchie » et « libération ou dépendance ». Le choix de 1983 porta « sur des valeurs plutôt que sur des intérêts, moins sur l'économie que sur la politique » et, en ce sens, la population opta pour « un style d'action plutôt que pour un programme[12] ».

Parmi les caractéristiques marquantes du régime de 1976 à 1983, il faut surtout retenir sa portée extraordinairement répressive ainsi que son « sens politique, et historiquement revanchard, contre l'Argentine plébéienne-populiste et immigrante des dernières décennies[13] ». Le *Proceso* — comme on l'appelait couramment — se distingua d'autres expériences autoritaires éprouvées par la population argentine depuis le premier coup militaire en 1930 en ce qu'il incarna une « tentative systématique, continue et profonde » de pénétrer de façon « capillaire »

---

10. Un total de 712 soldats argentins, pour la plupart des jeunes conscrits, furent tués dans les combats de l'Atlantique Sud entre le 2 avril et le 14 juin 1982.

11. Juan Carlos Portantiero, « La transformación entre la confrontación y el acuerdo », dans José Nun et Juan Carlos Portantiero (dir.), *Ensayos sobre la transición democrática en Argentina*, Buenos Aires, Puntosur, 1987, p. 257-293.

12. *Ibid.*, p. 276.

13. Guillermo O'Donnell, « Democracia en la Argentina : *micro y macro* », dans Oscar Oszlak (dir.), « *Proceso* », *crisis y transición democrática*, vol. I, Buenos Aires, Centro Editor de América Latina, 1984, p. 14-15.

la société civile afin d'implanter l'ordre et l'autorité dans toutes et chacune de ses sphères. Avec cette vision paranoïaque et friande de métaphores organicistes, il s'agissait de guérir la maladie « d'un corps social qui, même dans ses tissus les plus microscopiques, avait été infecté par la subversion[14] ». Ainsi, le chaos et la dissolution de l'autorité devaient être combattus non seulement sur les grandes scènes de la politique et des faits armés — les « symptômes visibles » —, mais aussi aux autres niveaux de l'activité sociale ; de ce diagnostic émergea un projet visant à discipliner l'entièreté des rapports sociaux : la famille, le travail, l'école.

Parallèlement, on assista à la mise en place d'une « privatisation compulsive de la vie[15] ». Convaincus de « l'ingouvernabilité intrinsèque » d'une société civile « corporatiste » et dépendante de l'État « protecteur », les militaires s'attachèrent à démanteler toute forme d'association citoyenne, toute médiation institutionnelle comme le parti, le syndicat, le comité de voisins ou le regroupement d'entrepreneurs[16]. Dans leur vision, la « main invisible et anonyme » du marché serait dorénavant le seul principe de progrès économique, tandis qu'un État brutalement répressif veillerait à la stabilité sociale et à la sécurité. On devine ici, dans sa version extrême, la formule néo-conservatrice qui cherche à désactiver toute logique collective dans le but d'assurer l'épanouissement de l'initiative privée. Dans cette mouvance de dépolitisation, « furent ainsi détruits les ponts, supprimées les instances de représentation, interrompu le dialogue entre la société et l'État[17] ».

Dans les premiers mois de 1983, le discours politique avait été dominé par la description des effets de la dictature et le ton général était celui de la dénonciation visant à rendre visible la réalité faussée ou cachée par les militaires. C'était en ce sens le diagnostic d'un « présent involontaire, régulé par la force des choses[18] ». Dans ce contexte,

---

14. *Ibid.*, p. 15-16.
15. Oscar Oszlak, « Privatización autoritaria y recreación de la escena pública », dans Oscar Oszlak (dir.), *op. cit.*, p. 34.
16. *Ibid.*, p. 37.
17. *Ibid.*, p. 38.
18. Oscar Landi, *El discurso sobre lo posible (La democracia y el realismo político)*, Buenos Aires, Estudios CEDES, 1985, p. 33.

le radicalisme se heurtait à un plafond discursif qui limitait sérieuse-
ment sa capacité d'innovation ; ce fut alors que Raúl Alfonsín, qui se
profilait déjà comme candidat présidentiel du radicalisme, dénonça le
27 avril l'existence d'un pacte militaire-syndical[19]. Il accusa certains
secteurs du péronisme d'avoir trahi le legs de Perón et de pratiquer le
fascisme et le gangstérisme. Cette collusion présumée évoquait automatiquement tous les traumatismes de la mémoire collective récente
(le gouvernement de la veuve de Perón, María Estela Martínez, et le
régime militaire qui lui succéda). Le péronisme réagit en exigeant du
candidat radical des preuves du pacte, mais le thème était déjà inscrit
dans le discours politique et c'était la croyance plutôt que les évidences
empiriques qui déciderait en dernière instance.

L'idée du pacte militaire-syndical — on n'a jamais su s'il existait
véritablement — plaçait le péronisme dans une Argentine figée dans
le passé. En déplaçant l'axe du discours, le radicalisme s'appropria des
questions qui, pour l'opinion publique, apparaissaient très peu diffé-
renciées d'un parti politique à l'autre. Alfonsín disait vouloir joindre
les « deux piliers de la démocratie : la liberté et la justice sociale », visant
ainsi à reconduire les idéaux à la base du péronisme. Il postulait une
origine commune avec les fondements de la nationalité, y compris ceux
établis par Juan Perón mais il se distanciait du péronisme des années
1970, porteur de violence et d'irrationalité. Alfonsín établit efficacement
une alternative entre le retour à l'Argentine non viable du populisme
et une nouvelle étape, basée sur la récupération des droits civiques et
sociaux des Argentins[20]. Il obtint ainsi l'appui presque unanime de
l'électorat non péroniste et même d'une partie de l'électorat traditionnellement péroniste.

---

19.   Le pacte secret aurait été conclu entre Cristino Nicholaides, commandant en
      chef des Forces armées, et Lorenzo Miguel, titulaire des « 62 organisations », la
      branche politique du syndicalisme péroniste. Selon ses termes, les militaires
      devraient aider les péronistes à gagner les élections, en échange de la clôture
      définitive des enquêtes et révélations concernant les « disparus » durant la
      dictature. Voir David Rock, *Argentina, 1516-1987 : From Spanish Colonization to
      the Falklands War and Alfonsín*, Londres, Tauris, 1987.
20.   Oscar Landi, *op. cit.*

Or il est essentiel de comprendre que la conjoncture était *vécue* par l'ensemble de la société comme un tournant de l'histoire argentine. Face à la conviction généralisée que la débâcle du régime était « le dénouement sinistre mais logique de toute une étape de la vie nationale qu'il fallait dépasser », Alfonsín donna voix à « ce sentiment puissant mais jusque-là non formulé[21] ». La dénonciation du pacte militaire-syndical venait proclamer implicitement la fin d'une longue période politique dominée par la problématique de la révolution péroniste. Interprétant cette nostalgie de l'ordre constitutionnel, il insista sur le besoin de combler le déficit institutionnel dont les conséquences pouvaient être constatées dans la « dégradation de la vie publique et administrative durant la dictature[22] ». Alfonsín apporta une vision politique rénovée mais néanmoins ancrée dans la tradition du radicalisme : la consolidation de la démocratie exigeait de faire de cette dernière « l'objet de culte d'une religion civique[23] ».

Comme réaction à la terreur vécue sous la dictature, l'équation « démocratie = vie » s'est forgée dans l'imaginaire collectif, en même temps que furent placés du côté de l'autoritarisme et de la mort, non seulement le gouvernement militaire, mais aussi les groupes extrémistes qui avaient eu recours à la violence durant le dernier gouvernement péroniste, entre 1973 et 1976[24]. La percée exceptionnelle du discours d'Alfonsín s'explique en grande partie par le fait d'avoir été la meilleure expression de ces nouvelles « balises » du discours social argentin : les limites du « dicible » en politique seraient dorénavant tracées en fonction des notions d'éthique et d'État de droit. Or, puisque ces valeurs avaient constitué l'emblème du radicalisme depuis près d'un siècle, le discours d'Alfonsín pouvait renvoyer à l'histoire de son parti comme garant de sa capacité démocratique.

21. Tulio Halperín Donghi, *La larga agonía de la Argentina peronista*, Buenos Aires, Ariel, 1994, p. 115-116.

22. *Ibid.*, p. 117.

23. *Ibid.*, p. 119.

24. Mariana Podetti, María Elena Qués et Cecilia Sagol, *La palabra acorralada : la constitución discursiva del Peronismo renovador*, Buenos Aires, FUCADE, 1988.

En examinant le texte des dix-neuf annonces télévisées de la fin de campagne (septembre et octobre 1983)[25], on constate que, parmi les 404 termes différents (sur un total de 926) employés par Alfonsín à l'écran, certains sont récurrents et semblent condenser une invitation au dialogue et à la réciprocité[26]. Dans ce schème discursif, l'accent est mis sur la production d'un *Nous* actif et cohésif (nous allons réussir, tous, ensemble, pour nos enfants,) vis-à-vis duquel il se place sur le terrain de l'échange (vouloir parler, dire, demander, réitérer) et de l'obligation (s'engager, promettre). Bref, on voit ressortir une représentation « contractuelle » du lien entre gouvernants et gouvernés. Si l'on admet que « dans le bilan que la société fit de sa crise, elle situa les origines non pas dans le coup d'État de 1976, mais dans l'administration calamiteuse de la veuve de Perón[27] », on comprend qu'Alfonsín s'appropria ce diagnostic en attribuant à la crise nationale un caractère essentiellement éthico-politique.

Alfonsín chercha, durant la campagne électorale, *à situer la parole au centre du politique*, en revalorisant la conception de l'action politique comme geste public. En montrant que « dire, c'est faire », car le discours engage le locuteur et parce que les règles du jeu doivent être explicitées et négociées, il introduisait une nouvelle dimension dans l'univers politique argentin. Celui-ci avait été dominé depuis longtemps par la « vérité de la réalité » du péronisme et par le nominalisme fébrile pratiqué par les militaires. Dans le premier cas, ce qui comptait, c'était les faits et non les mots. Ainsi, une phrase typique de Juan Perón : « ce sont des choses évidentes, comme est évidente la vérité qui parle sans artifices[28] ». Il va de soi que, pour les péronistes, « la vérité sans artifices » était celle exposée par le leader. Dans le second

25. Nous nous servons des transcriptions publiées dans Alberto Borrini, *Cómo se hace un presidente*, Buenos Aires, Ediciones El Cronista Comercial, 1984, p. 119-126.
26. « Nous allons [réussir, faire, concrétiser] » (8), « tous » (7), « ensemble » (6), « [nos, mes, vos] enfants » (5), « je m'engage » (4), « [chasser] l'immoralité » (4), « je veux [vous parler, vous demander, vous dire, vous réitérer … une promesse] » (4).
27. Juan Carlos Portantiero, *op. cit.* p. 276.
28. Juan Perón, Discours à la Confederación General del Trabajo, Buenos Aires, 30 juillet 1973.

cas, on arriva à croire que la censure assurait le contrôle des objets et des idées : le régime s'empressa de nommer ce qu'il voulait ériger en réalité et d'interdire la mention de ce qu'il voulait voir disparaître du monde. Dans les deux cas, la parole politique, en dehors de sa fonction purement déclamatoire, fut fortement dépréciée. Elle finit par être perçue, au mieux, comme vaine et superflue, au pire, comme factice et insidieuse. Bref, le péronisme fit équivaloir discours à verbiage et les militaires mirent le langage au service du mensonge méthodique. Les Argentins se laissèrent donc séduire en 1983 par ce politicien qui leur proposait de faire de l'ordre social *un objet de discussion*.

La promesse de Raúl Alfonsín

L'arrivée au pouvoir d'Alfonsín en 1983 signifia, pour la majorité de la population, le retour au *cosmos* de la rationalité. Alfonsín s'attacha alors à instaurer une politique « d'idées » : il visa à convaincre par la force des concepts. Il compta, à cet effet, sur l'aide de plusieurs intellectuels qui contribuèrent à sa parole publique, en l'influençant, d'abord, et en l'analysant ensuite[29]. Quand l'étoile d'Alfonsín commença à pâlir en raison de la crise économique, son discours volontariste fut vu comme l'expression idéaliste, voire arrogante, d'un visionnaire coupé des vrais problèmes. La plupart des Argentins en ressentent encore le goût amer : ils considèrent qu'Alfonsín leur parla d'un pays imaginaire — où la « culture démocratique » est le remède à tous les maux — et laissa, en même temps, dépérir le pays réel.

Raúl Alfonsín est né en 1927 à Chascomús, dans la province de Buenos Aires. Descendant d'immigrants espagnols, il provient d'une famille engagée politiquement dans la cause républicaine. Après avoir fréquenté le Lycée militaire, il poursuivit des études en droit à l'Université nationale de La Plata. Attiré par les positions libertaires et antioligarchiques, Alfonsín s'affilia au radicalisme, devint à l'âge de 24 ans membre du conseil local du parti et obtint sa première victoire

---

29.   Remarquons qu'il est le premier président de l'histoire politique argentine à avoir mis sur pied un « think tank » pour l'assister dans l'élaboration de ses allocutions. Voir à ce propos le reportage sur Meyer Goodbar, le leader du groupe « Esmeralda », dans la revue *Noticias* (29 novembre 1992).

électorale en 1958 comme candidat à la législature provinciale. Réélu en 1960, il entra en 1963 dans l'arène politique nationale en tant que député au Congrès fédéral. Quelques années plus tard, il fonda avec d'autres militants un courant, le *Movimiento de Renovación y Cambio* (Mouvement de rénovation et changement), afin de s'opposer au nouveau leader du parti, Ricardo Balbín, qu'il jugeait trop conservateur. Alfonsín mit l'accent sur les « questions sociales » et le besoin de se « rapprocher du peuple », mais il ne put remporter la nomination comme candidat présidentiel aux élections convoquées par les militaires, qui étaient au pouvoir depuis 1966. Après le coup d'État de 1976, il demeura un critique du régime, surtout en matière de droits de l'Homme et de politique économique. Devenu la figure principale du radicalisme, Alfonsín défendit devant les tribunaux plusieurs prisonniers politiques et participa à la fondation de l'Assemblée permanente des droits de l'Homme. Dans un livre intitulé *La cuestión argentina* (La question argentine), il développa alors un diagnostic du « mal argentin » et proposa une voie de salut : « le chemin de la démocratie[30] ».

Alfonsín s'inscrit pleinement dans la tradition du radicalisme : celui-ci était né en réaction au régime oligarchique et joua un rôle décisif dans l'obtention de la démocratie électorale. Le radicalisme gouverna durant la période d'absorption des immigrants et leur conféra les moyens d'accès à la vie publique. Les expériences éphémères du radicalisme au pouvoir en 1958-1962 et 1963-1966 se caractérisèrent par une gestion modérée visant une sorte de compromis entre les diverses forces politiques et économiques. Alfonsín représentait l'aile gauche du parti : il était porteur d'un plan d'inspiration « social-démocrate » qui combinait le credo républicain et le non-alignement sur le plan de la politique internationale.

Le procès des commandants

Au lendemain de l'entrée en fonction du nouveau gouvernement, le Congrès abrogea — dans son tout premier acte législatif — la loi dite de « pacification nationale ». Cette loi, promulguée trois mois aupara-

---

30.   Raúl Alfonsín, *La cuestión argentina*, Buenos Aires, Editorial Propuesta Argentina, 1981, p. 191.

vant par le *Proceso,* était une amnistie générale des militaires qui avaient participé à la répression[31]. Le Pouvoir exécutif décréta immédiatement que les membres des trois premières juntes (dont les anciens présidents Jorge Videla, Roberto Viola et Leopoldo Galtieri) soient amenés devant le Conseil supérieur des Forces armées pour atteinte à la Constitution et violation des droits de l'Homme. Il était aussi question de juger les chefs guérilleros qui avaient opéré dans le pays jusqu'en 1976. Résistant à la pression des organismes de défense des droits de l'Homme, le président obtint l'adoption d'une « loi permettant de faire juger par les tribunaux militaires eux-mêmes les membres de l'armée mis en accusation, avec possibilité de comparaître ultérieurement devant une instance civile[32] ».

Dans la perspective du gouvernement, il fallait distinguer les différents niveaux de responsabilité dans l'architecture du terrorisme d'État : il y avait lieu de séparer ceux qui avaient établi la stratégie et donné des ordres, ceux qui s'étaient limités à leur exécution et ceux qui s'étaient livrés à des excès dans leur accomplissement. Cette démarcation des degrés de responsabilité, ainsi que la décision de faire juger les militaires par leurs pairs et de blâmer aussi les guérilleros pour la violence qui avait déchiré la société argentine durant les années 1970, visait, selon la logique officielle, à aider l'armée à sortir indemne en tant qu'institution des séquelles de la dictature. Or les militaires refusèrent en bloc le principe même du procès et, en septembre 1984, le Conseil supérieur des forces armées statua, après des mois de tergiversations, que les ordres émis et reçus par les inculpés étaient « sans objection possible ». Le dossier fut alors placé sous la juridiction de la Chambre fédérale et, le 22 avril 1985, « commençait devant plus de cinq cents journalistes du monde entier un procès historique et sans précédent en Amérique latine[33] ».

---

31. Artemio L. Melo, *El gobierno de Alfonsín : la instauración democrática argentina (1983-1989),* Rosario (Argentine), Homo Sapiens, 1995, p. 38.
32. Carlos Gabetta, « Argentine. La démocratie retrouvée », dans *L'état du monde 1984,* Montréal/Paris, La Découverte/Boréal, 1984, p. 176.
33. Carlos Gabetta, « Argentine. Les exigences du FMI », dans *L'état du monde 1985,* Montréal/Paris, La Découverte/Boréal, 1985, p. 170.

Parallèlement au travail du tribunal, la Commission nationale sur la disparition de personnes (CONADEP) avait été mise sur pied dans le but de recevoir des témoignages et des évidences concernant la « disparition » de citoyens durant la dictature et, dans les cas où l'on constaterait qu'un crime avait été commis, de transmettre l'information aux procureurs. Le rapport final devait toutefois rendre compte objectivement des événements, sans déterminer la responsabilité des participants. La commission fut formée de personnalités prestigieuses, choisies surtout en fonction de leur trajectoire en matière de défense des droits de l'Homme. On comptait parmi eux, outre son président, Ernesto Sábato (l'un des plus importants écrivains en Amérique latine), des figures comme René Favaloro (médecin de réputation internationale), Marshall T. Meyer (chef d'une des principales organisations juives de l'Argentine) et Magdalena Ruiz Guiñazú (journaliste très connue et respectée pour son intégrité professionnelle). En même temps, chaque chambre du Congrès était invitée à envoyer trois membres pour joindre la « commission Sábato », mais seule la Chambre des députés nomma des représentants[34]. La CONADEP tint des milliers d'audiences et chaque cas d'abduction, torture et exécution fut documenté ; plus de 50 000 pages furent ainsi compilées et 8791 cas de « disparition » entre 1976 et 1983 furent constatés. Le rapport final, intitulé *Nunca Más* (*Plus jamais*), fut publié en novembre 1984 et l'opinion publique fut choquée par l'ampleur, la cruauté et l'arbitraire des procédés mis en œuvre par les militaires pour mater tout ceux qu'ils avaient considérés subversifs ou simplement gênants[35].

Plusieurs auteurs ont signalé que la révélation des horreurs et des atrocités de la dictature permit aux Argentins d'accomplir une pénible démarche d'introspection. Le déroulement du jugement des juntes militaires constitua, en quelque sorte, une « opération sur la mémoire col-

---

34. Le Sénat, contrôlé par le péronisme, refusa de participer. Il faut signaler que le président s'était opposé à la désignation par le Congrès d'une commission d'enquête parlementaire sur la question des « disparus » afin d'éviter la politisation du dossier.

35. Le rapport fut réimprimé quatre fois en un seul mois. Voir Susan Calvert et Peter Calvert, *Argentina : Political Culture and Instability*, Pittsburgh, University of Pittsburgh Press, 1989, p. 272.

lective », en ce qu'elle donna lieu à « une occasion inédite de reconstruction d'un discours public sur des sujets qui avaient été cachés à la connaissance et à l'opinion[36] ». La communauté, dégoûtée de ce qu'elle apprit sur son passé récent, trouva dans l'exercice de la justice une valeur symbolique extraordinaire, car « le procès a fonctionné comme le lieu pour la manifestation publique de la loi face à des actes relevant d'un pouvoir discrétionnaire[37] ». La société tout entière fut amenée à faire le diagnostic de la qualité de ses organisations politiques, syndicales, professionnelles, juridiques, religieuses, médiatiques et culturelles[38]. Le procès des juntes peut donc être compris comme un rite ouvrant le passage vers un nouveau cycle de l'histoire nationale.

> [L]a reconstruction qu'il rend possible peut être caractérisée, avant tout, comme l'affirmation d'une dimension éthique dans le fait de *savoir*, de connaître en particulier et de dévoiler le sort de chaque disparu [...]. Mais dans le même mouvement de délivrance de cet être humain, anonyme et condamné à l'oubli, dans l'acte qui le réintègre à l'identité commune de concitoyen, apparaît préfigurée la volonté de construire une logique différente dans la relation entre les hommes[39].

Le 9 décembre 1985, la Chambre fédérale imposa quelques peines sévères, dont deux sentences à perpétuité[40]. Les militaires acceptèrent mal la condamnation des hauts gradés, même si elle parut insuffisante aux yeux de bien des citoyens. Le 23 avril 1986, le ministre de la Défense donna des instructions au Conseil suprême des Forces armées (auquel la Chambre fédérale avait remis les dossiers d'inculpation des officiers en charge des diverses « zones d'opération » de la répression), en recommandant de tenir compte du principe de « l'obéissance due »

---

36. Hugo Vezzetti, « El juicio : un ritual de la memoria colectiva », *Punto de Vista*, vol. VII, n° 24, 1985, p. 3-4.

37. Carlos Altamirano, « Sobre el juicio a las juntas militares », *Punto de Vista*, vol. VII, n° 24, 1985, p. 1.

38. Hugo Vezzetti, *op. cit.*

39. *Ibid.*, p. 4.

40. Ce fut le cas pour l'ancien président Jorge R. Videla et pour l'amiral Emilio E. Massera. L'ancien président Roberto E. Viola, l'amiral Armando Lambruschini et le brigadier-général Basilio Lami Dozo furent condamnés à 17, 8 et 4 ans de prison respectivement.

pour juger les subordonnés. Cette initiative fut largement perçue comme une manœuvre gouvernementale destinée à acquitter de fait les quelque quatre cents autres militaires et policiers encore accusés de délits divers. Face au malaise grandissant au sein de l'armée et aux demandes de la population pour que justice soit faite, le président envoya au Congrès un projet de loi visant à clore la période d'admissibilité de nouvelles poursuites contre des officiers impliqués dans des crimes durant la répression de la subversion. Cette loi, adoptée le 23 décembre 1986 et baptisée par la presse loi du « point final », fut considérée par une large partie de l'opinion publique comme une grave concession éthique. Ironiquement, l'application de cette mesure eut l'effet contraire à celui recherché par le gouvernement : le pouvoir judiciaire réagit en accélérant significativement les mises en accusation afin d'éviter la prescription des causes après le délai de soixante jours stipulé par la loi[41].

Le printemps économique

Le 19 février 1985, alors que l'inflation atteignait des niveaux critiques (près de 30 % par mois), le ministre de l'Économie Bernardo Grinspun fut remplacé par un technocrate peu connu, Juan Sourrouille, qui occupait le poste de secrétaire d'État à la planification depuis le début de l'administration radicale. La « concertation sociale » que le gouvernement avait proposée en août 1984 aux associations patronales et syndicales, dans le but d'élaborer un diagnostic commun des problèmes de base et d'accorder un projet intégral de solution, s'était effritée faute d'une véritable volonté de coopération entre les parties[42]. Dans un contexte de profonde crise économique et de malaise social, une vague d'attentats à la bombe dans des bâtiments publics sévit à Buenos Aires. Le président attribua ces attentats à des groupes d'extrême droite et appela, le 23 avril 1985, un rassemblement à la place de Mayo pour que le peuple manifeste son appui à l'ordre constitutionnel. Devant des milliers de personnes, Alfonsín annonça l'instauration d'une

---

41.   Artemio L. Melo, *op. cit.*, p. 49.
42.   Luis Fernando Ayerbe, « A transição para a democracia na Argentina (1984-1989) : um balanço do governo Alfonsín », *Perspectiva*, vol. 14, 1991, p. 161.

« économie de guerre » et, quelques jours plus tard, il déclara « l'état d'urgence » dans tout le pays. Le président confia alors à son nouveau ministre la tâche de préparer un programme innovateur pour implanter un contrôle rigide et immédiat des principales variables économiques. Préparé dans le secret le plus absolu afin d'assurer l'effet de surprise nécessaire à sa réussite, le « plan Austral » fut dévoilé par Alfonsín dans une déclaration à la télévision le 14 juin 1985. Rarement un président avait parlé au peuple avec autant de candeur :

> Le pays a besoin des Argentins. Nous n'avons pas d'autre option, nous devons reconstruire l'Argentine [...] nous ne pouvons plus perdre une seule minute dans des illusions anachroniques [...] Je pense que plus aucun Argentin ne croit à des miracles de ce type, car nous savons tous que les grandes réussites sont conquises avec du travail et de l'effort. [...] Alors, nous allons commencer ensemble une bataille contre la frustration, contre le désespoir qui a accablé les Argentins pendant des décennies. Des années et des années durant, notre pays nous a échappé, il s'est rapetissé, il s'est attristé[43].

La mise en œuvre du plan, conçu comme un choc autant psychologique qu'économique, comportait notamment la création d'une nouvelle monnaie et le gel des salaires, des prix et des tarifs publics. Le plan compta sur un secours international significatif (le FMI et Washington avaient été consultés discrètement au préalable afin d'obtenir le feu vert), mais ce qui était beaucoup plus important, le lancement du plan suscita « la dernière mystique qui regroupa les Argentins et, aussi, la dernière période de bonheur collectif qu'ils vécurent[44] ».

Le plan prévoyait l'élimination du déficit public au moyen de nouveaux impôts et la préservation du salaire minimum ainsi que la continuité des prestations de retraite et du programme d'alimentation gratuite aux démunis. Les services sociaux devaient être maintenus et aucune mise à pied parmi les employés de l'État n'était envisagée. Un congé bancaire de quelques jours permit de provoquer une forte dévaluation et un ajustement draconien des taux d'intérêt, lesquels seraient désormais fixés par la Banque centrale. Le gouvernement dut avoir

---

43. Raúl Alfonsín, Message radio-télévisé à la nation, 14 juin 1985.
44. Joaquín Morales Solá, *Asalto a la ilusión : historia secreta del poder en Argentina desde 1983*, Buenos Aires, Planeta, 1990, p. 261.

recours à « l'état d'urgence » pour mettre en œuvre ce programme qui allait à l'encontre des normes constitutionnelles relatives à la création de la monnaie (qui est une prérogative exclusive du Congrès national) et qui brisait tous les contrats en vigueur au pays (car ils incluaient des clauses d'actualisation mensuelle ou même quotidienne en fonction des prévisions inflationnistes)[45].

Si l'on assistait pour la troisième fois, dans une période de quinze ans, au remplacement de la devise, c'était pourtant la première fois qu'on constaterait des effets si rapides dans « le rapport linguistique de la population à l'argent[46] ». Une mesure du succès initial du plan fut ainsi donnée par le fait que les gens acceptèrent de changer, presque littéralement du jour au lendemain, leur façon de nommer la monnaie nationale. La collaboration massive des citoyens au fonctionnement du plan Austral se manifesta aussi, par exemple, dans le boycottage des commerces qui ne respectaient pas les directives du gouvernement. On peut interpréter ce phénomène inédit (les Argentins s'étaient toujours montrés très méfiants à l'égard des nouveaux plans économiques) comme une expression de l'option collective pour l'ordre et, en ce sens, comme une forme de soutien actif au cadre constitutionnel. Il est en effet possible d'avancer l'hypothèse que la population appuya résolument une action de l'État pouvant démontrer que, contrairement aux expériences passées, une administration démocratique possédait et employait les moyens requis pour affirmer son autorité et pouvait, par conséquent, éviter le chaos.

Le plan donna des fruits de façon presque instantanée : l'inflation descendit radicalement (pour se situer autour de 2 % par mois au second semestre) et la popularité du président monta jusqu'à 72 %[47]. La Confédération Générale du Travail (CGT) mit en suspens son pro-gramme déjà annoncé de grèves générales à durée indéterminée et le milieu des affaires prêta son accord à la nouvelle politique de stabili-sation. En revanche, l'attitude prédominante au sein du péronisme fut, à l'exception de quelques cas isolés comme Carlos Menem (alors gou-

45.   *Ibid.*, p. 260.
46.   Emilio de Ipola, *Investigaciones políticas*, Buenos Aires, Nueva Visión, 1989, p. 88.
47.   Artemio L. Melo, *op. cit.*, p. 36.

verneur de la province de La Rioja), extrêmement critique face au gouvernement. Dans ce contexte, les radicaux obtiendront le 3 novembre 1985 une victoire nette lors du renouvellement partiel de la Chambre des députés (43 % des voix, contre 34 % au péronisme)[48].

Le projet de société

Dans une conjoncture qui lui était largement favorable, le président révéla le 1er décembre 1985 son grand projet de modernisation de la société argentine, en appelant à l'élaboration d'un pacte démocratique et à une plus grande participation des citoyens. Il appela, dans un discours qui fut considéré comme l'expression suprême de la « doctrine alfonsiniste », tous les secteurs politiques et sociaux à collaborer à la construction d'une communauté solidaire. Ce nouveau contrat social devait inclure, entre autres, l'engagement à réduire le déficit budgétaire et à payer la dette extérieure, une hausse des salaires, une réforme culturelle, une refonte du régime d'assurance-santé et une redéfinition du rôle des Forces armées. Il fallait promouvoir une profonde transformation institutionnelle de la société, comme premier pas vers le développement d'une véritable culture démocratique. Dans cette vision, les notions de pluralisme et de respect de la différence étaient centrales :

> Ici il est nécessaire de souligner à nouveau l'idée du pluralisme, conçue non seulement comme l'une des valeurs fondamentales de la démocratie, mais aussi comme un mécanisme de fonctionnement politique ou, plus précisément, comme une procédure pour l'adoption de décisions, ce qui suppose que l'on assume comme légitime la dissension et le conflit[49].

C'est dans cette mouvance que le Conseil pour la consolidation de la démocratie fut créé par décret présidentiel quelques jours plus tard. Ce décret exprimait

> le besoin d'envisager un vaste projet de consolidation de notre régime républicain et démocratique, visant la modernisation des structures

---

48. Luis Fernando Ayerbe, *op. cit.*, p. 162.
49. Raúl Alfonsín, « Discurso de Parque Norte », Buenos Aires, 1er décembre 1985.

politiques, culturelles et économiques, fondé sur l'éthique de la solidarité et sur l'ample participation des citoyens[50].

Un groupe de spécialistes se pencha sur différents dossiers : la création de maisons d'enseignement supérieur, l'articulation de la recherche technologique à la production, la décentralisation de l'administration et la réduction de la bureaucratie, la révision des priorités dans la défense nationale, la modernisation de l'appareil judiciaire, etc. Mais le véritable objectif politique devint évident quand Alfonsín assigna à ses membres, le 13 mars 1986, la tâche d'examiner la possible réforme de la Constitution. Le 7 octobre 1986, après de nombreuses consultations dans toutes les provinces du pays, le Conseil présenta au président un « rapport préliminaire » avec ses recommandations[51].

Les principales propositions visaient à renforcer l'autonomie des provinces et des municipalités, à adopter des mécanismes favorisant la participation directe des intéressés aux décisions qui les concernent, à éliminer la discrimination religieuse pour le poste de président (l'article 76 établit que le président doit être de confession catholique) ainsi que les dispositions obsolètes ayant trait au patronat clérical (la représentation du Vatican) et de préserver les droits individuels et les garanties juridiques consacrés dans la Constitution mais en les élargissant en ce qui a trait aux procédures de protection et à leur dimension positive (les droits sociaux). Le véritable cœur de la réforme était la modification du système politique lui-même. Le conseil recommanda l'introduction d'un régime mixte qui partagerait les attributions du Pouvoir exécutif entre le président, élu par suffrage universel direct, et un premier ministre, nommé par le président, qui prendrait en charge l'administration publique et serait responsable devant le Pouvoir législatif. Le recours à des éléments d'un régime parlementaire devait servir à atténuer le présidentialisme et à encourager la négociation et la formation d'alliances entre les différentes forces politiques. Le nouveau système devait aussi résoudre un problème qui hantait les

---

50. Article 1, décret 2446 du gouvernement national.

51. Il fut publié par la suite : *Reforma Constitucional : Dictamen preliminar del Consejo para la Consolidación de la Democracia*, Buenos Aires, Editora Universitaria de Buenos Aires, 1986.

leaders argentins depuis plusieurs décennies : la non-rééligibilité du président dans la période qui suit immédiatement la fin de son mandat. En effet, ce thème « a été vivace au cours de cette deuxième moitié du XXe siècle », comme en témoignent les tentatives (fructueuses) de réélection de Juan Perón en 1949 et de Carlos Menem en 1994[52]. La nouvelle constitution devait inclure une clause de réélection permettant au président de présenter sa candidature une deuxième fois après l'échéance de son premier terme. Or, on le sait, ce ne sera pas lui, mais son successeur qui pourra réaliser ce rêve de rester dix ans au pouvoir[53].

Par ailleurs, le Pouvoir exécutif déposa au Congrès national, le 8 juillet 1986, un projet de loi qui proposait le transfert du siège de la capitale fédérale dans les villes de Carmen de Patagones et de Viedma, situées l'une en face de l'autre sur les rives du fleuve qui sépare les provinces de Buenos Aires et de Río Negro. L'endroit choisi correspondait à peu près au point médian de l'axe longitudinal du pays, ce qui signifiait un déplacement d'environ mille kilomètres vers le sud. Dans le texte d'accompagnement signé par Alfonsín et par tous ses ministres, ce projet était qualifié de « pierre d'assise de la fondation d'une nouvelle République, de la deuxième République[54] ». Il s'agissait de déclencher un processus « de renforcement du fédéralisme, de redistribution de la population du pays, de changement essentiel dans la gestion de l'État et d'intégration territoriale effective ».

Le problème auquel le projet voulait s'attaquer était certes structurel :

la zone métropolitaine dont le centre est la ville de Buenos Aires a monopolisé dans la pratique la croissance économique, politique et financière du pays, en déformant et en accentuant l'inégalité de développement entre les régions.

---

52. Alberto Antonio Spota, « Le cas argentin », dans Jacques Zylberberg et Claude Emeri (dir.), *op. cit.*, p. 86.

53. Dix ans, car le terme présidentiel est de 6 ans selon la Constitution de 1853 et de 4 ans après sa réforme.

54. « Proyecto de ley del Poder Ejecutivo Nacional proponiendo el traslado de la Capital Federal » (Projet de loi du Pouvoir exécutif national proposant le transfert de la Capitale fédérale), Comité de la Capitale fédérale, Unión Cívica Radical, 1986.

Mais le transfert de la capitale en Patagonie — une immense zone quasi inoccupée et inexploitée — devait s'inscrire dans une mouvance plus large et profonde de « séparation géographique du pouvoir politique et du pouvoir économique », ce qui permettrait de rendre le premier plus rationnel, juste et transparent par rapport au second. Éventuellement, cette transformation devait mener à « étendre nos frontières intellectuelles et spirituelles à nos frontières géographiques, pour que chaque habitant puisse sentir la totalité du territoire comme son foyer ». Onze mois plus tard, malgré les critiques, le projet de loi fut néanmoins adopté par le Congrès et promulgué par la présidence le 8 juin. Or la conjoncture politique et économique de 1987 était loin de favoriser une entreprise si colossale et le transfert de la capitale fut définitivement écarté, de même que le projet de réforme constitutionnelle.

Un gouvernement assiégé

Durant les premières années de son mandat, l'opinion internationale acclamait Raúl Alfonsin comme celui qui avait réussi à redonner à son pays une « image de marque rassurante[55] », comme celui qui avait fait que l'Argentine ne soit plus perçue comme « une république de bananc[56] ». Poutant, son capital de popularité auprès des Argentins s'effrita quant le gouvernement ne parvint pas à donner ce qu'il avait promis : l'harmonie sociale, la stabilité politique et le bien-être économique ».

La contre-attaque péroniste

Peu après les élections de 1983, certaines figures du péronisme formulèrent une critique acerbe de la direction du parti. Il s'agissait essentiellement de désavouer les dirigeants qui avaient rendu possible la défaite du mouvement populaire[57]. Ces dirigeants étaient responsables

---

55.   Diana Quattrocchi-Woisson, « Discours historique et identité nationale en
      Argentine », *Vingtième Siècle*, n° 28, 1990, p. 41.
56.   *The New York Times*, 18 avril 1987.
57.   Il faut dire que les citoyens qui avaient voté pour le radicalisme étaient, eux
      aussi, plutôt perplexes. Les sondages préélectoraux montraient effectivement que
      bien des personnes qui déclaraient leur intention de voter pour Raúl Alfonsín
      anticipaient néanmoins la victoire « inévitable » du péronisme.

du fait que, pour la première fois, « la réalité ne coïncidait pas avec la vérité[58] ». En 1984, lors du référendum sur le règlement pacifique du litige des frontières avec le Chili au Canal de Beagle (les régimes militaires des deux pays avaient d'ailleurs failli déclencher une guerre en 1980), ce groupe de contestataires commença à se distancier de la position officielle du parti, qui s'opposait à toute concession territoriale.

C'est ainsi que, au congrès du parti péroniste à la fin de l'année 1985, un nouveau courant commença à se démarquer de plus en plus en mettant de l'avant le projet de construire « un péronisme démocratique crédible[59] ». Ce qui parut d'abord une expérience purement marginale, et destinée à se heurter inévitablement aux structures et aux doctrines du mouvement, devint pourtant en peu de temps un phénomène politique d'envergure. Ce seront en effet les « péronistes rénovateurs » (comme la presse les nomméra tout de suite) qui, deux ans plus tard, remporteront les élections nationales du 6 septembre 1987 et qui obtiendront le contrôle du parti dès le début de 1988. L'un des leaders de la « rénovation », Antonio Cafiero, deviendra chef du péronisme et gouverneur de la province de Buenos Aires. De plus, il assumera non seulement le rôle d'interlocuteur d'Alfonsín, mais, aux yeux de l'opinion publique, deviendra son potentiel successeur après les élections présidentielles de 1989.

Bien que le « péronisme rénovateur » ait essayé de récupérer la mémoire péroniste, ce qui implique nécessairement la « reconnaissance d'une utopie réalisée dans le passé », il fut capable de rompre avec le « dispositif d'énonciation péroniste » et de reconnaître les nouvelles balises discursives, c'est-à-dire « la démocratie, l'éthique, le rejet de la violence, la revalorisation du politique ». Il visa même à s'approprier certains « signifiants caractéristiques de l'alfonsinisme », telles la « démocratie participative » et la « modernisation »[60]. De cette manière, la parole de la « rénovation » s'inscrivit à l'intersection de deux espaces discursifs, le péronisme et l'alfonsinisme. Afin de prou-

---

58.   Emilio de Ipola, « La difícil apuesta del peronismo democrático », dans José Nun et Juan Carlos Portantiero, *op. cit.*, p. 334.

59.   Mariana Podetti, María Elena Qués et Cecilia Sagol, *op. cit.*, p. 13.

60.   *Ibid.*, p. 127.

ver leur compatibilité, le discours s'attacha à démontrer que « tout ce qui est nouveau était déjà dans le péronisme classique, et que le péronisme qui ne s'ajuste pas aux balises de l'ouverture démocratique n'est pas le véritable péronisme[61] ».

Cette problématique renvoie directement à la crise déclenchée par la mort de Juan Perón en 1974. Sa disparition avait ouvert un processus de grande complexité au sein du péronisme, dans le cadre duquel les rapports de force (entre les divers secteurs et courants) et les rapports de sens (les différentes positions idéologiques) rentrèrent dans une dynamique de dispersion extrêmement conflictuelle et désordonnée, avec des moments de rupture et de réconciliation[62]. Or la crise du péronisme pouvait difficilement être dépassée, car les conditions qui l'avaient provoquée étaient toujours là : absence d'un leader unificateur et manque d'une véritable idéologie pouvant servir de lieu de convergence. Le « péronisme rénovateur » s'affaira à forger la synthèse des valeurs démocratiques et des valeurs nationales-populaires. Bien des citoyens qui votèrent pour le radicalisme en 1983 identifiaient le péronisme au gouvernement de la veuve de Perón et à la situation anarchique qui « justifia » l'intervention militaire. En 1987, le péronisme redevenait une alternative viable.

Signalons, enfin, que Menem, seul gouverneur péroniste à s'être montré ouvertement favorable au président Alfonsín dès le début de son mandat, s'empressa de devenir l'un des « référents de la rénovation », selon l'expression de l'époque. Plus tard, il fonda pourtant son propre courant interne et s'éloigna des « rénovateurs » ; durant les élections primaires du parti tenues le 9 juillet 1988, il s'opposa à Cafiero et fut choisi candidat présidentiel du parti. Le « péronisme rénovateur » fut ainsi mortellement blessé[63].

---

61. *Ibid.*, p. 36-37.
62. Emilio de Ipola, « Crisis y discurso político en el peronismo actual : el pozo y el péndulo », dans *El discurso político : lenguajes y acontecimientos*, Buenos Aires, Hachette, 1987, p. 115-116.
63. Emilio de Ipola, *Investigaciones políticas, op. cit.*, p. 66.

L'insurrection militaire

La loi du « point final » avait fait perdre au gouvernement une très grande partie de sa crédibilité publique. Or son efficacité s'avéra fort limitée du fait que les juges, nous l'avons vu, au lieu de laisser tranquillement expirer le délai, se dépêchèrent de citer à comparaître quelques centaines de militaires. Non seulement cette situation accentua l'amertume au sein de l'armée, mais elle approfondit le fossé entre le commandement et les officiers. En effet, ceux qui avaient exécuté les ordres durant la répression de la guérilla et qui s'étaient battus dans l'Atlantique Sud se sentaient de plus en plus trahis par leurs supérieurs, d'autant plus que le « point final » avait bénéficié à une vingtaine de hauts gradés. En particulier, certains groupes — appelés « carapintadas » en raison de leurs visages peints en noir de style commando — planifiaient leur propre contre-attaque : ces troupes d'élite, hautement professionnalisées et imbues de fanatisme religieux et nationaliste, prirent la résolution secrète de ne permettre qu'aucun de leurs subordonnés soit traduit en justice[64].

Ainsi, lorsque le major Ernesto Barreiro, officier de renseignement qui faisait partie de ces groupes, fut mis en accusation par la Chambre fédérale de Córdoba, un régiment de cette ville et, de façon coordonnée, l'École d'infanterie blindée de Campo de Mayo (dans les environs de Buenos Aires) se déclarèrent en état de rébellion le 15 avril 1987. Ils réclamaient la clôture du processus d'inculpation des militaires qui « affectait la dignité et l'honneur des Forces armées[65] ». À la tête d'une centaine d'officiers, le lieutenant-colonel Aldo Rico proclamait que leur intention n'était pas de renverser le gouvernement démocratique, mais de récuser l'autorité du haut commandement et, en particulier, celle du chef de l'armée, le général Héctor Ríos Ereñú, qui, selon eux, n'avait pas défendu l'institution militaire. Leurs prétentions incluaient la revendication officielle de la « guerre contre la subversion » et l'augmentation du budget de la défense.

---

64. Joaquín Morales Solá, *op. cit.*, p. 147.
65. Artemio L. Melo, *op. cit.*, p. 49.

Le Congrès convoqua alors une session d'urgence le 19 avril et le président y rassura les législateurs et la population en général sur la continuité du régime constitutionnel. Alors que des centaines de milliers de personnes se réunissaient devant le Congrès pour décrier l'attitude des militaires, Alfonsín se rendait personnellement à Campo de Mayo pour s'entretenir avec les mutins. De retour, il annonça que « la maison était en ordre » : les officiers, des « héros des Malouines » comme il les qualifia, avaient cessé leur insubordination. Il nia catégoriquement avoir négocié quoi que ce soit, mais il limogea deux jours plus tard le général Ríos Ereñú et fit approuver, le 14 mai, le projet de loi sur « l'obéissance due », instrument légal visant à prémunir les sous-officiers contre les poursuites en matière de violation des droits de l'Homme. Cet épisode, connu comme la crise de la Semaine sainte, se solda ainsi par une concession majeure accordée aux militaires[66]. Toutefois, toujours insatisfait de la politique gouvernementale (et probablement encouragé par la faiblesse démontrée par le pouvoir civil), Aldo Rico déclencha une nouvelle rébellion le 20 janvier 1988, cette fois aux Quatrième et Cinquième régiments d'infanterie à Monte Caseros, dans le nord du pays, près de la frontière brésilienne. Les généraux, réticents à employer la force contre leurs officiers, mais sans les soutenir, firent le siège autour de la garnison. Face à l'échec de leur mouvement (à cette occasion, la population demeura impassible et le gouvernement, mieux préparé, comptait sur des troupes loyales), les insurgés se rendirent, sans résistance. Environ 400 militaires furent arrêtés et accusés d'insubordination. Il devenait pourtant de plus en plus clair que l'institution militaire, bien qu'en désaccord avec les actions de Rico, était prête à passer à l'offensive.

Le 2 décembre 1988, le colonel Mohamed Alí Seineldín, qui avait un très fort ascendant sur les commandos, souleva de nouveau l'École d'infanterie de Campo de Mayo avec l'appui de quelques centaines

---

66.   La loi déresponsabilisait, pour des crimes passés et futurs, tous les officiers au-dessous du rang de lieutenant-colonel, sauf si des excès étaient commis de leur propre initiative ou pour leur propre bénéfice. Il a été signalé que cette norme juridique contrevient à la Convention sur la torture des Nations Unies, signée par Raúl Alfonsín en 1984. Voir Susan Calvert et Peter Calvert, *op. cit.*, p. 277.

d'effectifs et d'un détachement fortement armé de la Préfecture navale. Il se déplaça avec ses hommes à Villa Martelli, en banlieue de la capitale, et déclara que l'opération n'avait « aucune motivation politique » et que ses objectifs étaient « strictement militaires ». Le président, en voyage aux États-Unis, ordonna la répression des mutins. Après une rencontre avec le chef de l'armée, Dante Caridi, le colonel Seineldín se rendit à ses supérieurs. D'accords sur le fond des demandes (notamment la récupération de la « dignité militaire » et du rôle institutionnel de l'armée, la réhabilitation de la guerre des Malouines et l'extinction de toutes les causes judiciaires), les deux militaires décidèrent d'éviter un bain de sang entre des « frères ». Leur pacte prévoyait également le démission du général Caridi — un « libéral » mis en cause par les officiers nationalistes — et l'acceptation de Seineldín d'aller en prison comme unique responsable de la rébellion.

Les crises de la Semaine sainte, de Monte Caseros et de Villa Martelli, condensèrent les tensions accumulées au sein du corps militaire. Elles avaient exprimé l'existence d'une fracture horizontale dans la structure hiérarchique de l'armée. Il s'agissait d'un conflit entre deux générations : les rebelles, plus jeunes, se jugeaient délaissés par un commandement qui ne protégeait pas adéquatement l'institution contre les offensives du pouvoir civil[67]. Ces groupes arrachèrent au gouvernement des compromis importants sur le plan juridique, mais aussi sur le plan symbolique. Ainsi, la loi de « l'obéissance due », qui servit à absoudre tous les inculpés sauf une vingtaine de hauts officiers, consacra « la prééminence de l'autorité hiérarchique sur la conscience individuelle de chaque soldat[68] ».

La crise finale

Le matin du 23 janvier 1989, on assistait à ce qui semblait encore une rébellion *carapintada*, cette fois dans les casernes du Troisième régiment d'infanterie à La Tablada, en banlieue de Buenos Aires. Les combats très violents qui firent une quarantaine de morts étaient plutôt menés

---

67. Andrés Fontana, « La política militar del gobierno constitucional argentino », dans José Nun et Juan Carlos Portantiero, *op. cit.*, p. 416-417.
68. Yvon Grenier, *op. cit.*, p. 30.

par un groupe d'extrême gauche. Apparemment, ces guérilleros croyaient (faussement et, selon d'aucuns, piégés par des agents de renseignement infiltrés dans leurs rangs) que les *carapintadas* comptaient organiser un coup d'État dans cette base militaire. Alfonsín, bouleversé par cet événement, réagit en créant, deux jours plus tard, le Conseil de sécurité nationale — incluant des militaires — dans le but de coordonner la « lutte contre la subversion », geste qui, pour les Argentins, évoquait la sombre période de la répression dictatoriale. Le climat politique s'envenima davantage lorsque Menem accusa le gouvernement d'avoir orchestré toute l'opération afin de se rapprocher des militaires.

L'année, qui avait si mal démarré, s'annonçait aussi extrêmement dure sur le plan économique. Les choses empiraient chaque jour et, au rythme de la campagne électorale à la présidentielle, les mesures désespérées adoptées par le gouvernement n'arrivaient pas à rassurer une population de plus en plus inquiète. Les coupures quotidiennes de courant électrique durant l'été (austral) 1989, provoquées par le mauvais fonctionnement des centrales thermiques et d'une des centrales nucléaires, étaient pour tous le symbole d'une situation lamentable[69]. Après les élections présidentielles du 14 mai, où Carlos Menem s'imposa face au candidat radical, Eduardo Angeloz, la situation devint intolérable et des actes de pillage se produisirent dans plusieurs villes importantes. Face à un contexte de profond malaise social, le gouvernement semblait impuissant. Convaincus de la chute imminente de la valeur de la monnaie, les exportateurs paralysèrent leurs activités. Les réflexes défensifs des divers secteurs se manifestèrent alors dans l'hyperinflation[70]. C'est dans ce contexte qu'Alfonsín transféra le pouvoir au nouveau chef de l'État le 8 juillet 1989.

La présidence d'Alfonsín a connu deux phases, la première de nature offensive — caractérisée par la volonté de rupture et de renouveau — et la seconde de nature essentiellement défensive. Autant la vigueur de son envol initial fut immense, autant son revers ultime fut

---

69.   Hugo Moreno, « Argentine : populisme et fin de "l'anomalie" ? », *Science(s) politique(s),* nº 1, 1993, p. 92.

70.   Tulio Halperín Donghi, *op. cit.*, p. 140.

calamiteux. L'homme qui, comme candidat, avait conquis la confiance de ceux qui ne votaient pas traditionnellement pour son parti perdit, quelques années plus tard, toute crédibilité. S'il fit bouger le pays au rythme de ses objectifs réformistes durant la première moitié de son mandat, le président fut confronté par la suite au retour des vieux démons : sous les nouvelles formes d'un péronisme « rénové » et d'une insubordination militaire « non putschiste », l'Argentine du passé refit surface. Des péronistes qui se distanciaient de l'héritage du mouvement et défiaient le gouvernement sur son propre terrain, des officiers qui, sans exiger le pouvoir politique, exigeaient par la force une reconnaissance morale et matérielle, mais aussi des élites économiques favorisées par la dictature et qui pouvaient neutraliser à volonté les plans de l'État.

Sa vision était d'emblée problématique : d'une part, elle s'appuyait sur la conviction que tous les acteurs de la société s'accordaient, au moins partiellement, sur le besoin de transformation institutionnelle ; d'autre part, elle véhiculait une conception social-démocrate intimement associée au déploiement de l'État-providence. En ce qui concerne les acteurs sociaux, il est clair, premièrement, que les Forces armées accueillirent très négativement le projet d'« épuration » mis de l'avant par Alfonsín. Deuxièmement, il faut noter que les centrales ouvrières résistèrent farouchement aux tentatives « anticorporatistes » du radicalisme, qui visaient concrètement à soustraire les syndicats à la séculaire emprise péroniste. Trois rébellions militaires et seize grèves générales témoignent de ces limites. Quant à l'inspiration providentialiste — ou en tout cas interventionniste — de la gestion gouvernementale, on peut comprendre rétrospectivement jusqu'à quel point son avenir était déjà compromis par la crise du modèle keynésien de régulation sociale et menacé à court terme par le fardeau de la dette extérieure.

Tous ces facteurs convergèrent en une dynamique perverse qui fit de l'économie l'ennemie du politique. Ainsi, l'ambitieuse stratégie réformiste du président — qui aspirait à un leadership historique dans la transition vers une « Argentine moderne et démocratique » — contribua de manière décisive à l'échec éventuel du plan Austral dont, justement, « le sort de toute l'expérience radicale dépendait beaucoup plus étroitement que ce que le docteur Alfonsín semblait percevoir[71] ». En effet, d'abord pour obtenir la faveur des provinces péronistes au Sénat et plus tard pour les contenir dans les limites d'une opposition non destructrice, l'administration centrale s'engagea dans une hémorragie permanente de fonds fédéraux qui anéantit tous les efforts du gouvernement vers l'équilibre fiscal.

À côté de cet échec, il faut souligner que le procès des juntes, le lancement du plan Austral et même le projet manqué de la seconde République permirent à l'ensemble de la communauté d'apprécier la valeur de la parole — dans sa dimension dialogique et publique — en tant qu'acte social fondamental. Cela n'implique pas que tous les citoyens ont répondu favorablement (ou même prêté attention) à ces instances de mise en discours des finalités collectives. Mais la scène médiatique, pour ne prendre que cet indicateur, fut massivement traversée par cette invitation au débat sur l'ordre social désiré. Les notions d'institution comme norme et de discussion comme procédure s'installèrent dans l'imaginaire politique et percèrent le sens commun des Argentins. Cette nouvelle dynamique imposa ses propres règles. La rentrée des péronistes dans l'arène électorale ne put se faire qu'après une adaptation de leur image par rapport aux nouvelles balises discursives. Les militaires se virent confrontés à la capacité de réaction des « gens ordinaires » qui, par centaines de milliers, sortirent dans les rues pour appuyer le gouvernement dont, au-delà des positions partisanes, personne n'osait questionner la légitimité. La crise finale ébranla bien évidemment la foi que les citoyens pouvaient avoir dans l'efficacité des institutions, mais elle ne mina pas pour autant leurs convictions démocratiques.

Les années 1980 ont été celles d'une profonde transformation en Amérique latine en ce qui concerne la question du vivre-ensemble. En Argentine, comme dans la plupart des autres pays de la région, un retour aux pratiques intolérantes et répressives de « réorganisation nationale » était devenu pratiquement impensable.

---

71. Tulio Halperín Donghi, *op. cit.*, p. 126.

Chapitre 3

Le tournant néolibéral

Carlos Saúl Menem est né le 2 juillet 1930 à Anillaco, un petit bourg de la province de La Rioja, dans le nord-ouest de l'Argentine. Ses parents, immigrants musulmans venus de la Syrie, possédaient une exploitation vinicole où il a grandi avec ses trois frères. Il fit ses études à Córdoba et devint avocat en 1955. À l'université, il milita dans les rangs du Parti péroniste et en devint très vite un cadre. Il fut candidat à la députation de sa province en 1958 et en 1962, puis au poste de gouverneur, mais il se retira de la course à la demande de Juan Perón qui prônait, depuis l'exil, le boycottage des élections générales. En 1964, Menem fit un voyage en Syrie où il rencontra sa future épouse, Zulema Fátima Yoma. Il s'arrêta ensuite à Madrid, où il fut reçu par Perón en tant que chef de la Jeunesse péroniste de La Rioja. Ce n'est qu'aux élections de 1973 qu'il put réaliser son objectif de devenir gouverneur avec 67 % des voix. Destitué et arrêté le jour même du putsch de 1976, il demeura incarcéré par le régime militaire jusqu'en février 1981. Il revint à la tête du gouvernement de sa province natale en 1983, avec 54 % des voix, et il fut réélu en 1987, cette fois avec 63 % des voix.

Le 9 juillet 1988, Carlos Menem fut officiellement désigné comme candidat présidentiel du Parti justicialiste. Dans une élection primaire (la première organisée au sein du mouvement péroniste depuis sa création), il l'emporta contre toute attente sur Antonio Cafiero, avec environ 53 % des voix. Cafiero, gouverneur de la puissante province de Buenos Aires et chef de file des « rénovateurs », avait compté sur l'appui de la plupart des gouverneurs provinciaux péronistes (et sur les milieux financiers, rassurés par son image d'homme rationnel et prévisible). Mais les péronistes se tournèrent vers celui qui leur offrit le plus simple des messages : « Suivez-moi, je ne vous décevrai pas ! » Menem se voulait, selon ses propres mots, un candidat « antisystème ». Pourquoi ce gouverneur d'une des provinces les plus pauvres du pays put-il vaincre le principal représentant d'un nouveau péronisme devenu un parti « comme les autres » ? Selon Juan Carlos Portantiero, Menem fut celui qui s'appropria le mieux le « style » original de Perón :

> Dans la relation symbolique qu'il tissa avec la sensibilité profonde du péronisme, son discours parut toujours plus authentique : non seulement en raison des emblèmes simples et classiques qu'il brandissait, comme la justice sociale, la production ou le nationalisme, mais surtout en raison de son style pour les communiquer dans une mise en scène respectant la continuité des vieilles formes d'interpellation, si différentes du rationalisme moderniste de Cafiero et des « rénovateurs »[1]...

Quelques jours auparavant, le 3 juillet, le gouverneur de la province de Córdoba, Eduardo Angeloz, avait remporté sans opposition significative (avec 88 % des voix) la nomination à la candidature présidentielle aux élections primaires de l'UCR. Propulsé par le président Raúl Alfonsín, le ticket radical représentait un recentrage vers la droite en matière économique. Angeloz pouvait s'appuyer, durant la campagne électorale, sur une solide réputation de bon administrateur. Avocat et père de famille respecté, ce descendant de Suisses romands promettait « de moderniser l'Argentine et de l'ouvrir sur le monde », et ce, « en favorisant l'investissement étranger, en développant les exportations et en débarrassant l'État d'un secteur public hypertrophié, mal géré et cher », bref, une stratégie qui lui valait, même au sein de certains secteurs du radicalisme, l'appellation de « candidat du monde des affaires[2] ». Carlos Menem, par contre, promettait la « révolution productive » et le *salariazo*, soit une forte augmentation des salaires. Il chercha à identifier Eduardo Angeloz aux politiciens qui,

1. Juan Carlos Portantiero, « Menemismo y peronismo : continuidad y ruptura », dans *Peronismo y menemismo : avatares del populismo en la Argentina*, Buenos Aires, El Cielo por Asalto, 1995, p. 106.
2. *Le Monde*, 24 janvier 1989.

comme Alfonsín, s'étaient coupés du peuple et il tâcha de susciter un lien affectif, quasi religieux, avec ses électeurs en introduisant un « langage conversationnel[3] », en se plaçant dans un « dehors historique[4] » et en ayant recours « à l'émotion et au mythe[5] ». L'extrait suivant illustre bien son style oratoire (notons l'usage de la troisième personne pour se désigner lui-même) :

> Je dis tout respectueusement que le docteur Angeloz est la continuation de l'alfonsinisme. Carlos Menem est la continuation de la démocratie, de la liberté, de la grandeur de la patrie et du bonheur du peuple argentin. [...] Pour les enfants pauvres qui ont faim, pour les enfants riches qui sont tristes, pour les frères sans emploi, pour les foyers sans toit, pour les tables sans pain, pour notre patrie, je vous demande de me suivre[6].

Le contraste avec le candidat de l'UCR ne pouvait pas être plus marqué, non seulement en raison de la forme et du contenu de leurs discours (Menem dira, par exemple : « si l'ouvrier et le capital produisent 100, il est juste [...] que le capital gagne 50, mais que l'autre 50 aille dans les poches des travailleurs[7] »), mais aussi en raison des « images ». Vêtu de blanc, le pittoresque candidat aux larges rouflaquettes parcourait les provinces à bord de son « Menem-mobile ». Il s'arrêtait devant chaque groupe de sympathisants ou de simples badauds pour leur serrer la main, les embrasser, les bénir (« je vous bénis ! ») et même leur déclarer son amour (« je vous aime tous ! »). Caricaturé et ridiculisé par les classes moyennes et la plupart des

---

3. Damián Tabarovsky, *Discours politique et publicité télévisée : à propos de la campagne électorale en Argentine en 1989*, mémoire de DÉA, Paris, École des Hautes Études en Sciences Sociales, 1991, p. 118.

4. Fabián Yattah, *La « croyance » dans le discours politique. La campagne électorale argentine (1989) : le cas de Carlos Menem*, mémoire de DÉA, Paris, École des Hautes Études en Sciences Sociales, 1990, p. 43.

5. María Fernanda Arias, « Charismatic Leadership and the Transition to Democracy : The Rise of Carlos Saúl Menem in Argentine Politics », University of Texas at Austin, Working Papers of the Institute of Latin American Studies, n° 95-02, 1995, p. 2.

6. Carlos Menem, Discours du 10 mars 1989.

7. *La Esperanza de un pueblo en marcha*, dépliant du FREJUPO, Buenos Aires, 1989.

médias, Menem s'exhibait partout en grand charmeur. Eduardo Angeloz, d'apparence soignée et très stricte, faisait, en revanche, pâle figure.

Le poil en bataille, donc, et le sourire conquérant, Menem a bien d'autres titres pour se faire remarquer. Il pilote avions et voitures de course : récemment, quand un magazine américain lui a consacré sa couverture, c'est en combinaison bleue de mécano qu'il s'est fait photographier. On le dit également tombeur de jolies femmes — ce que contestent ses amis. Bref, c'est un supermâle, à la mode « latino », qui défraie en ce moment la chronique à Buenos Aires[8].

Le 14 mai 1989, les péronistes remportaient l'élection, sans pourtant obtenir la majorité absolue. Avec 47 % des voix, contre 32,5 % au radicalisme, Menem renversa néanmoins le rapport entre les deux principales forces politiques : l'UCR revint à son plafond historique (perdant les 20 points de pourcentage que Raúl Alfonsín avait rajoutés en 1983), alors que le péronisme récupéra le terrain perdu (après avoir atteint son niveau le plus bas, soit 40 %, en 1983). Le suffrage comportait aussi le renouvellement de la moitié de la Chambre des députés. Obtenant 66 sièges sur 127, Carlos Menem assura la prédominance de son parti dans l'ensemble du Pouvoir législatif, puisque le Sénat demeurait toujours aux mains du péronisme.

De Perón à Menem

La victoire de Menem parut sonner l'heure du retour cyclique du refoulé ethnique qui s'insurgeait contre les valeurs « transplantées » par les élites depuis le XIXe siècle. La nuit de l'élection du 14 mai, l'écrivain argentin Osvaldo Soriano avançait une explication qui ne manquait pas de cynisme : « Alfonsín, c'est le pays que nous aurions voulu être ; Menem, c'est le pays que nous sommes[9]. » Le sous-entendu ne pouvait échapper à personne : l'alfonsinisme aurait représenté le rêve de l'Argentine ouverte et moderniste, une illusion partagée par les classes supérieures et moyennes tournées vers le monde « civilisé », alors que le menemisme serait l'incarnation d'une réalité que l'on a

---

8. *Le Monde*, 20 janvier 1989.
9. *Le Monde*, 8 juillet 1989.

toujours voulu garder en arrière-plan, celle de l'Argentine essentiellement « latino-américaine ».

Pour beaucoup d'Européens, l'Argentine vient de se donner un président qui ne correspond plus à cette image d'une « Europe lointaine et australe » que l'on s'est faite de ce pays d'Amérique du Sud : Carlos Menem, le péroniste, choque et provoque des réactions épidermiques dans le monde occidental[10].

Comment expliquer ce revirement ? La parole alfonsiniste avait revêtu une valeur extraordinaire en tant qu'instrument de l'action collective. Durant la campagne de 1983, Alfonsín avait misé sur le « besoin collectif de sincérité » que ressentaient les Argentins après avoir pris conscience de l'ampleur de la désinformation systématique à laquelle ils furent soumis durant la dictature et tout au long de la guerre des îles Malouines[11]. Mais une date précise indique, de façon symbolique, la rupture du « contrat de vérité » établi entre le président radical et ses compatriotes : le 19 avril 1987, lorsque la crise de la Semaine sainte se fut soldée par ce que la population considéra comme une compromission éthique doublée d'un mensonge flagrant (car Alfonsín, dans son allocution au peuple rassemblé dans la Place de Mayo, nia avoir fait des concessions aux militaires, ce qui parut fort douteux quand, quelques jours plus tard, certaines des exigences des rebelles furent satisfaites par le gouvernement). Plusieurs auteurs s'accordent pour signaler que cet événement marqua le début d'un déclin généralisé de l'importance du discours politique — et aussi de l'intérêt de son analyse — en Argentine[12]. C'est dans ce contexte qu'il faut situer la particularité de l'énonciation menemiste. « Si Perón avait été obligé de sortir de la garnison pour sauver la patrie, Menem incarnait le *caudillo* qui descendait d'une province très pauvre afin de parler, avec leur propre langage, à tous les exclus et les désenchantés[13]. »

---

10. *Id.*

11. Lucrecia Escudero, *Malvinas : el gran relato. Fuentes y rumores en la información de guerra*, Barcelona, Gedisa, 1996, p. 37.

12. Carlos Mangone et Jorge Warley, *El discurso político : del foro al acontecimiento*, Buenos Aires, Biblos, 1994, p. 29.

13. José Nun, « Populismo, representación y menemismo », *Sociedad*, n° 5, 1994, p. 107.

L'attitude insouciante de Menem, qui contrastait avec la sévérité et la rigueur cartésienne d'Alfonsín, visa à établir la proximité illusoire que le public ressent parfois vis-à-vis des stars de la télévision ou du sport, où ce n'est pas tellement la vérité « objective » qui compte, mais une sorte « d'authenticité » qui fait que le personnage devenu exceptionnel demeure « l'un des nôtres ». En même temps, Menem se démarqua, avec son style conciliateur, de l'arrogance et de l'intolérance typiques du péronisme qu'Alfonsín avait stigmatisé en 1983. Le candidat péroniste se présenta comme un homme simple et pieux, multipliant les invocations à Dieu et les références bibliques dans ses allocutions, ce qui ne manqua de toucher la sensibilité de beaucoup de gens (dans un pays où, par exemple, le culte de la Vierge et des saints est extrêmement populaire). Autant le discours alfonsiniste fut pris au sérieux sur le plan des contenus (si bien qu'un « seul » grand mensonge lui coûta toute sa crédibilité), autant celui de Menem fut banalisé par les analystes en raison de son caractère populacier, opportuniste et phatique. Bref, à un président attaché aux idées générales et au ton professoral, comme c'était le cas d'Alfonsín, on vit succéder un homme faisant de « l'anti-intellectualisme » son emblème[14]. On le sait, la rhétorique populiste se caractérise par la radicalisation de l'élément émotif présent dans tout discours politique[15]. Cependant, il serait erroné de croire que Menem arriva au pouvoir avec un discours complètement « vide », même s'il se montra friand des expressions visant l'effet émotionnel plutôt que la réflexion et le débat. Alors que Raúl Alfonsín avait conçu son rôle comme celui du « restaurateur de l'État de droit », Menem se voulait l'initiateur d'une « ère nouvelle restauratrice de l'ancienne prospérité argentine[16] ». En ce sens, son discours

---

14.   Beatriz Sarlo, « Notas sobre cultura y política », *Cuadernos Hispanoamericanos*, n°s 517-519, 1993, p. 61.

15.   Carlos de la Torre, « The Ambiguous Meanings of Latin American Populisms », *Social Research*, vol. 59, n° 2, 1992, p. 400.

16.   Gérard Guillerm, « Le "menemisme", ou les paradoxes d'une logique libérale », dans Anne Collin Delavaud et Julio César Neffa (dir.), *L'Argentine à l'aube du troisième millénaire*, Paris, Institut des hautes études de l'Amerique latine, 1994, p. 32.

électoral s'articula nettement au thème de la dissociation entre l'Argentine existante et l'Argentine dont le potentiel restait à déployer : La Révolution productive implique la fondation d'une Argentine nouvelle. Cela signifie la libération de toutes les énergies gaspillées du pays[17]. Une large brèche s'est établie entre ce que l'on croyait que l'Argentine devait être, ce que chacun d'entre nous aspirait à être, et la réalité, ce qui constitua une ferme assise pour la rancune et le conflit interne[18].

Ce constat est très important, car il nous permet de relativiser l'idée que Carlos Menem aurait embrassé la conception néolibérale seulement après son arrivée au pouvoir. Bien que dans ses allocutions auprès des masses il mit toujours l'accent sur l'enjeu des politiques sociales et du salaire, il ne négligea pas d'indiquer, dans les contextes appropriés, sa disposition à « enfourcher le cheval de l'évolution historique », comme l'avait conseillé son mentor Perón[19]. Retenons, par exemple, son idée que l'Argentine devait « libérer » ses forces productives afin de relancer, entre autres, l'exportation agro-pastorale qui durant les « trente ou quarante premières années du siècle » fut « capable de concurrencer avec efficacité, de générer des fonds abondants, de financer les infrastructures et de placer le produit national par habitant au sixième rang dans le monde[20] ». Si l'idéal de justice sociale était celui du régime péroniste, l'époque dorée de l'Argentine prospère se situait plutôt, si l'on s'en tient à ces propos de Menem, dans l'apogée du projet libéral promu par les « pères fondateurs » de 1880. Se présentant comme un « outsider » de la politique conventionnelle et donc au-dessus des rivalités « idéologiques » et des rigidités conceptuelles, il promit aux Argentins de les sortir du marasme[21]. Dans un contexte

---

17. Carlos Menem et Eduardo Duhalde, *La revolución productiva*, Buenos Aires, Fundación Lealtad, 1989, p. 8.
18. *Ibid.*, p. 23.
19. « Le monde évolue par suite de déterminismes et d'une fatalité d'ordre historique. Il y a beaucoup de facteurs, mais ce n'est pas l'homme qui les gère. La seule chose que fait celui-ci, quand cette évolution se présente, c'est de monter en selle et de suivre la monture » (Juan Perón, *Discursos completos*, Buenos Aires, Megafón, vol. IV, 1988, p. 72).
20. Carlos Menem et Eduardo Duhalde, *op. cit.*, p. 28.
21. À ce propos, Eliseo Verón soutient que, depuis Juan Perón, la fonction présidentielle en Argentine « ne peut se fonder que sur un symbolisme de l'exo-

inflationniste qui ne manquait pas de rappeler l'Allemagne des années 1920, Menem centra son discours sur l'Argentine au passé glorieux et qui demeurait toujours promise à la grandeur et au rayonnement international.

Pendant la campagne électorale, Carlos Menem avait promis de faire, en matière économique, tout ce qu'Alfonsín n'avait pas fait, en renvoyant continuellement aux notions traditionnelles du péronisme, spécialement celles de bien-être social et de distribution de la richesse. Il ne se limita pas à répéter le dogme du justicialisme (en soi, comme nous l'avons signalé, relativement flou et « ajustable » au besoin) ; il s'en servit plutôt pour tisser un rapport très particulier avec les secteurs populaires. Adoptant un ton messianique — de type évangéliste charismatique — il se présenta comme un « sauveur » dans le contexte d'une crise sociale aiguë où l'hyperinflation et l'évidente impuissance de l'État alfonsiniste paraissaient annoncer une véritable apocalypse. Or, s'il est arrivé au pouvoir sur la base d'un discours « antiestablishment » (qui critiquait, par exemple, l'action des « oligopoles nationaux et étrangers », ainsi que les « diktats du FMI »), il fit de son gouvernement le plus fidèle exécuteur des recettes de la droite économique ; après quelques tergiversations et confronté à la gestion d'une crise structurelle. Le menemisme fut ainsi à l'origine d'une transformation que les puissants du monde n'hésitèrent pas à qualifier de « miraculeuse[22] ».

En mars 1991, le gouvernement annonça la mise sur pied de la « convertibilité » : il s'agissait d'une « dollarisation » de l'économie, en fixant la parité de 1 peso à 1 dollar américain. Cet étalon était garanti par les réserves de la Banque centrale et une loi interdisait l'émission de monnaie pour financer le déficit public. Les effets furent pratiquement instantanés : les taux d'intérêt chutèrent, la spéculation financière s'effrita, le crédit réapparut et l'inflation fut réduite. L'activité écono-

gène ». Voir Eliseo Verón, « Les médias comme opérateurs de sens dans une société déstructurée », dans *Discours sociaux et démocratie : communication sociale et anthropologie de l'économie en Argentine. Rapport final,* Paris, Maison des Sciences de l'Homme, 1990, p. iv.

22.   *The Wall Street Journal*, 11 septembre 1992.

mique reprit de l'élan et très vite il fut évident que le produit intérieur augmentait rapidement. Plusieurs indicateurs témoignèrent du renversement de la situation : les recettes fiscales augmentèrent, alors que le taux de chômage descendit. Les privatisations avaient déjà permis d'enregistrer une réduction du déficit de l'État, ce qui améliora encore le portrait général. Même si l'adoption du dollar américain comme étalon fixe signifiait la renonciation à tout contrôle national sur la politique monétaire — une flagrante dérogation aux principes les plus élémentaires de la souveraineté économique —, il fut clair que l'opinion publique assistait avec soulagement et espoir à la nouvelle tournure des événements. Des élections complémentaires dans seize provinces en août et septembre 1991 encouragèrent le gouvernement de Menem, les candidats péronistes ayant obtenu des victoires nettes sur le radicalisme. Le vote fut interprété comme un signal de la confiance de la population dans la marche de l'économie : le virage néolibéral du menemisme acquérait ainsi ses titres de noblesse sur le plan démocratique. En toute apparence, la stratégie du fait accompli — la ratification a posteriori qui renverse le principe de la promesse politique — donnait ses fruits.

> Ce type de *légitimation spectaculaire* — ou plébiscitaire — accompagne une nouvelle mentalité politique : un gouvernement ne se légitime plus par son programme idéologique ou moral, mais par son succès ou son échec à l'égard de certaines variables technico-économiques[23].

En octobre 1991, l'économie fut davantage déréglementée et, en novembre, un programme de privatisation plus étendu fut lancé. L'État, ayant encaissé plusieurs milliards de dollars grâce à la vente des entreprises publiques, diminua encore ses dépenses en éliminant des milliers d'emplois et en coupant dans les budgets de la santé, de l'éducation et des infrastructures sociales. En juin 1993, le gouvernement annonça la vente de la majorité des actions d'YPF, compagnie pétrolière de l'État, à des acheteurs locaux et étrangers. Dans une opération qualifiée de

---

23. Christian Ferrer, « El hombre pantalla », dans Héctor Schmucler et Cristina Mata (dir.), *Política y comunicación : ¿ hay un lugar para la política en la cultura mediática ?*, Buenos Aires, Universidad Nacional de Córdoba/Catálogos, 1992, p. 89, souligné dans l'original.

plus importante transaction financière dans l'histoire de l'Amérique latine, l'entreprise d'une valeur de sept milliards de dollars devait devenir l'une des vingt plus grandes firmes privées d'exploitation pétrolière du monde. En vertu d'un plan conçu par le ministre de l'Économie Domingo Cavallo, libéral formé à Harvard (qui avait été haut fonctionnaire du régime militaire), l'échange des actions par des titres gouvernementaux devait réduire la dette extérieure de près de deux milliards de dollars. La privatisation d'YPF, symbole de l'autonomie nationale autant pour les radicaux que pour les péronistes, représenta la consécration de l'orientation néolibérale véhiculée par Menem.

L'alignement avec les États-Unis fut un aspect névralgique. Se pliant aux exigences de Washington, l'Argentine abandonna son programme de missiles balistiques, ainsi que toute perspective de développement d'armes nucléaires. Comme preuve de la disposition du pays à jouer son rôle dans le maintien de la paix mondiale et de la défense des intérêts hémisphériques tels qu'ils étaient définis par le Pentagone dans le contexte de l'après-guerre froide, les Forces armées argentines se joignirent — par décret présidentiel — à la coalition anti-Irak lors de la guerre du Golfe de 1991. Ami personnel de George Bush (père), Menem suscitera également les éloges de Bill Clinton :

> Quelle métaphore pour la transformation de l'ensemble de notre hémisphère commun dans cette génération, que le président Menem, venant de la tradition péroniste, soit celui qui a conduit l'Argentine vers une transformation aussi remarquable[24] !

Or ce retournement majeur vis-à-vis des promesses électorales — réalisé sous le signe d'une action politique extrêmement personnaliste — ne rencontra pas de résistances sérieuses, ce qui parut démontrer « l'existence d'une sorte de consensus dans l'opinion publique, qui fait écho à l'irruption vertigineuse des idées libérales dans le champ politique[25] ». Sans nécessairement adopter le regard émerveillé des ténors du néolibéralisme, une grande partie de la population vécut, en effet, la nouvelle stabilité comme un pas dans la bonne direction et

---

24. Bill Clinton, 22 mai 1995.
25. Silvia Sigal, « Crise politique et crise économique en Argentine », dans Anne Collin Delavaud et Julio César Neffa (dir.), *op. cit.*, p. 19.

reconduisit donc la politique officielle dans les élections complémentaires de 1991 (41 % des voix au péronisme) et de 1993 (42 %), ainsi que dans l'élection générale de 1995 (50 %). Quelques chiffres permettent d'évaluer le sens et la magnitude de la transformation : le produit national brut (PNB) par habitant, qui était de 2370 $ en 1990, atteignit les 8270 $ américains en 1995 (le plus haut en Amérique latine), alors que les exportations, qui totalisaient 9,2 milliards en 1989, augmentèrent à 23 milliards en 1996 ; le chômage passa de 7,4 %, en 1990 (déjà trop élevé en Argentine, où le chômage ne dépassait pas les 3 % au début des années 1980), à 17 %, en 1996 (sans compter le cas des « sous-employés », 13,6 % de la population active, c'est-à-dire ceux qui travaillent moins d'heures que désiré)[26].

Les années 1980 avaient été caractérisées par l'appauvrissement dramatique de vastes secteurs des classes moyennes : on a registré durant cette décennie une augmentation de 67 % du nombre de personnes vivant sous le seuil de la pauvreté dans la région métropolitaine de Buenos Aires[27]. Peu après le lancement de la politique de stabilisation économique, on a pu constater une réduction notable de ce taux : la proportion des foyers sous le seuil de la pauvreté passa de 36,5 %, en 1989, à 19,4 %, en 1992[28]. L'élimination de l'inflation eut donc un effet immédiat et palpable sur le pouvoir d'achat des Argentins, même si les observateurs signalaient que les causes structurelles de la pauvreté n'avaient pas été affectées outre mesure. En ce sens, la « convertibilité » permit la récupération partielle de la chute des années 1980 et non pas le renversement des fondements de l'inégalité sociale. En fait, la précarisation de l'emploi et la restructuration de l'État en fonction des critères de privatisation et de décentralisation aggravèrent, à long terme, la tendance à la polarisation de la société (et à une fragmentation géographique du pays en régions « riches » et régions « pauvres »).

---

26. Nous nous référons à diverses sources, dont les journaux *La Nación* (31 décembre 1996) et *El Cronista Comercial* (8 novembre 1996) et les annuaires *Country Commercial Guide* (Washington, 1996) et *L'État du monde* (Paris, 1990).

27. Alberto Minujín et Gabriel Kessler, *La nueva pobreza*, Buenos Aires, Planeta, 1995.

28. Laura Golbert et Emilio Tenti Fanfani, « Nuevas y viejas formas de pobreza en Argentina : la experiencia de los 80 », *Sociedad*, n° 4, 1994, p. 96.

À cela s'ajoutait le problème de l'évasion fiscale, qui privait l'État de plus de vingt milliards de dollars par année, et de la fraude « officielle » dont le cas le plus fracassant a été la mise au jour d'une « douane parallèle » gérée par des fonctionnaires gouvernementaux.

Après la victoire du péronisme au suffrage de 1993, Menem cacha à peine son intention de réformer la Constitution dans le but de pouvoir présenter sa candidature aux élections présidentielles de 1995 (rappelons que, selon la Constitution, il était interdit de siéger au Pouvoir exécutif durant deux termes successifs). Le 13 décembre 1993, après maintes négociations secrètes, Carlos Menem et Raúl Alfonsín, en tant que chef de l'UCR, signèrent à Olivos (où se trouve la résidence présidentielle) un accord de dix points en vue d'une future réforme constitutionnelle visant, entre autres, « l'atténuation du présidentialisme » et la création d'un « Conseil de la magistrature » qui permettrait d'affirmer l'indépendance des juges. Le « pacte d'Olivos », incluant une clause permettant la réélection présidentielle, fut ratifié par la Chambre des députés et par le Sénat quelques semaines plus tard. Suivant les procédures d'amendement constitutionnel, une assemblée fut convoquée le 10 avril 1994.

Quand la crise financière mexicaine de 1995 — appelée « l'effet *tequila* » — frappa toutes les économies latino-américaines, le gouvernement argentin fut forcé de négocier de nouvelles ententes avec les pays et les organismes créditeurs, afin d'éviter une dévaluation de la monnaie, la parité peso-dollar étant le fondement de tout le plan économique. La perte de confiance des investisseurs étrangers se manifesta dans le ralentissement de l'activité productive et l'extrême faiblesse des institutions bancaires argentines devint évidente. Le chômage s'accrut considérablement et, de manière générale, la population commença à ressentir toute l'envergure des coûts sociaux de la conversion au néolibéralisme. Le gouvernement pouvait toutefois continuer à afficher une réussite incontestable : le modèle se révéla solide, cohérent et efficace, dans la mesure où il atteignait ses propres objectifs. En plus, l'appui des centres mondiaux de pouvoir politique et économique semblait toujours acquis.

Carlos Menem fut réélu le 14 mai 1995, avec 49,8 % des voix. Son parti l'emporta dans les vingt-trois provinces du pays et obtint la majorité absolue à la Chambre des députés. Il commença officiellement son second mandat (de quatre ans) le 8 juillet, conservant la plupart de ses ministres. L'UCR connut sa pire performance depuis 1916, ne recueillant que 17,1 % des voix. Une nouvelle coalition de centre-gauche (le FREPASO[29]), avec un ancien péroniste rénovateur à la tête, obtint 29,2 % des voix. Le 8 juillet, le président entama son second terme en promettant de s'attaquer, en toute priorité, au fléau du chômage.

Comment expliquer l'appui d'une partie importante des secteurs populaires à un projet gouvernemental de restructuration de l'économie et de la société qui détériore leurs conditions de vie[30] ? On peut les ramener, *grosso modo*, à trois thèses : (1) le peuple, convaincu du caractère essentiellement péroniste du gouvernement, resta loyal à son héritage et vota contre ses propres intérêts immédiats ; (2) tous ceux qui, confiants dans la stabilité résultant de la « convertibilité », s'étaient endettés durant le boom de la consommation et de l'accès au crédit, craignaient tout changement économique qui pouvait entraîner une dévaluation de la monnaie ; (3) la population, qui se souvenait du traumatisme de l'hyperinflation (vécue non seulement comme un délabrement économique, mais comme un état d'anomie totale), préférait la cohérence d'un ordre injuste plutôt que le risque d'une nouvelle crise.

La première thèse met l'accent sur l'emprise idéologique du péronisme sur les classes démunies, soulignant le caractère hybride du menemisme en tant que « néo-populisme » de droite où se combinent l'ouverture économique et le leadership charismatique. La deuxième thèse, plus cynique, fait en revanche des électeurs des sujets rationnels qui choisissent le moindre mal : ils se trouvent pris dans un piège, car leur bien-être est lié au succès d'un régime qui leur répugne. La troisième thèse privilégie ce qui est perçu par les gens comme l'absence d'autres options valables. Dans un climat de nihilisme et de repli sur le privé

---

29. Un acronyme pour *Frente por un País Solidario* (Front pour un pays solidaire).

30. Ricardo Sidicaro, « Poder político, liberalismo económico y sectores populares en la Argentina, 1989-1995 », dans *Peronismo y menemismo : avatares del populismo en la Argentina*, Buenos Aires, El Cielo por Asalto, 1995, p. 122.

— les partis et les politiciens ayant perdu toute leur crédibilité — les individus ne cherchent plus leur salut dans les solutions collectives et essayent de s'en tirer, chacun de leur côté, le mieux possible dans la nouvelle réalité.

Bref, une grande partie des secteurs défavorisés, appauvris ou en proie à l'incertitude auraient soutenu le projet menemiste par aveuglement (thèse 1), par résignation (thèse 2) ou par désaffection à l'égard de la chose publique (thèse 3). La thèse 1 tend à voir le discours menemiste dans la continuité du discours péroniste (le code identitaire serait toujours le même), alors que la thèse 3 détecte, dans le langage officiel, l'irruption de l'imaginaire néolibéral (notamment le « mythe du marché »). Dans le cas de la thèse 2, l'efficacité du discours étatique est minimisée : les individus votent pour la stabilité économique et non pas en raison de croyances ou d'une préférence politique.

Il est évident que seule une combinaison des trois thèses est en mesure de rendre compte d'un phénomène aussi complexe que le menemisme. Or même si l'on reconnaît que certaines des réalisations économiques constituent des acquis importants pour un pays comme l'Argentine (où l'imprévisibilité a toujours empêché la planification au-delà du court terme et l'inflation est devenue une exorbitante taxe régressive), le dossier démocratique du régime demeure, au mieux, controversé. D'une part, la plupart des observateurs estiment que Menem a centralisé le pouvoir décisionnel de façon excessive dans sa démarche réformiste[31]. L'entorse aux procédures de la démocratie a constitué, aux yeux du gouvernement, la voie royale : il fallait, selon la perspective menemiste, briser l'inertie, contrer les intérêts particuliers et les « idéologismes », appliquer, selon la métaphore en vogue, une « chirurgie sans anesthésie » à un patient rétif et impénitent. Au vu des premiers effets positifs du plan économique, la population se montra réceptive aux arguments qui faisaient de la Realpolitik l'unique option envisageable dans un monde en pleine mutation. « Le discours libéral conservateur qui, sous la référence à "l'économie populaire de mar-

---

31.   James Petras et Steve Vieux, « The Transition to Authoritarian Electoral Regimes in Latin America », *Latin American Perspectives*, vol. 21, n° 4, 1994, p. 9.

ché", fut adopté par le président lui-même, se répandit parce qu'il ressortait comme étant le seul discours crédible[32]. »

Il va sans dire que, dans le cadre de ce genre de pensée, l'efficacité l'emporte facilement sur le respect strict de la norme formelle. Penchons-nous, par exemple, sur la fréquence du recours aux décrets « de nécessité et d'urgence », un indicateur qui permet de saisir jusqu'à quel point le menemisme a fait prévaloir, de manière systématique, la fin sur les moyens. Bien que la Constitution argentine confère au président de la république la faculté de dicter, dans des circonstances exceptionnelles, des décrets qui ont statut de loi sans requérir l'approbation du Congrès national, il s'agit toutefois d'une dérogation transitoire au principe de la division des pouvoirs et son usage a donc été limité à des cas très ponctuels. Ainsi, entre 1853 et 1983, seulement vingt-cinq décrets « de nécessité et d'urgence » ont été dictés par le Pouvoir exécutif. Alfonsín promulgua dix décrets de ce type durant les cinq ans et demi de son mandat, ce qui représenta déjà une augmentation significative. Menem, quant à lui, amplifia grandement cette tendance : il en édicta 398 entre 1989 et 1996, c'est-à-dire, en moyenne, plus d'un décret par semaine[33]. Une proportion importante de ces décrets ont d'ailleurs touché à des questions d'imposition fiscale, l'une des compétences exclusives du Pouvoir législatif.

> En résumé, Menem a poussé à des limites extrêmes ce processus de concentration et de personnalisation du pouvoir qui avait été amorcé avec Alfonsín, et qui, par ailleurs, s'accorde évidemment avec sa vision fondamentalement populiste de la représentation politique, partagée par beaucoup de ses adhérents[34].

La relative indifférence du menemisme envers les mœurs et les institutions républicaines s'exprima aussi dans des phénomènes de corruption auxquels les médias ont prêté beaucoup d'attention, tels le népotisme dans la distribution de postes de responsabilité, la collusion du gouvernement avec le pouvoir judiciaire, l'enrichissement de cer-

---

32. Isidoro Cheresky, « Argentina, una democracia a la búsqueda de su institución », *Revista Europea de Estudios Latinoamericanos y del Caribe*, n° 53, 1992, p. 34-35.
33. *La Nación*, 24 novembre 1996.
34. José Nun, *op. cit.*, p. 110.

tains fonctionnaires et, en général, la frivolité des figures publiques, ainsi que la mise au jour d'affaires de fraude qui ont touché de près l'entourage du président, voire sa propre famille. Or, si l'on ne peut pas trop insister sur ces aspects négatifs, il faut aussi se pencher sur un autre type d'effets — non nécessairement voulus, mais néanmoins importants — de la gestion menemiste. Soulignons en particulier le fait que l'État a tellement relâché son emprise sur la société civile (à travers, par exemple, la privatisation et la déréglementation de la radiotélévision, un outil de propagande cher à tous les gouvernements précédents, y compris celui d'Alfonsín), qu'une très ample liberté d'opinion règne dans l'Argentine actuelle[35]. Il est difficile, sinon impossible, de trouver dans l'histoire récente du pays des moments où les « appareils idéologiques » — dont l'Église catholique et les Forces armées — ont eu une influence si réduite sur la définition des orientations culturelles au pays. Même si très peu d'Argentins sont prêts à attribuer à Menem le mérite de cette situation, il est certain que, comme c'est probablement le cas dans tout contexte de libéralisation subite, le déclenchement des forces du marché a entraîné l'affaiblissement des groupes qui avaient contribué de manière décisive à la disciplinarisation des rapports sociaux[36].

Parallèlement et à la faveur des processus d'ouverture économique, de privatisation des services publics et de réforme des régimes d'assurance collective (assurance-retraite et assurance-santé), le citoyen — celui qui n'a pas été exclu du marché — a commencé à se percevoir comme consommateur, comme contribuable et comme client et a été porté à

---

35. Il faut signaler que le Pouvoir exécutif a essayé, à plusieurs reprises, de faire approuver des lois qui pourraient nuire à la liberté de presse, en augmentant par exemple les peines pour calomnie et diffamation (jusqu'à six ans de prison) et en forçant les publications à souscrire à des assurances contre les poursuites judiciaires. Carlos Menem lui-même a poursuivi devant les tribunaux certains journalistes. L'opposition a vu dans ces attitudes une tentative de stopper les nombreuses enquêtes sur la corruption gouvernementale.

36. Signalons que le gouvernement de Menem a coupé la moitié du budget des Forces armées, réduit son effectif de 100 000 à 20 000 soldats, éliminé les entreprises militaires déficitaires et aboli le service militaire obligatoire. Le pouvoir des militaires n'a jamais été aussi limité.

exiger plus activement sa juste part dans les échanges auxquels il participe. Bref, la liberté individuelle de choisir, de pétitionner et de s'exprimer, ce qui constitue sans conteste une dimension clé de la démocratie, se trouve renforcée par une dynamique qui, en même temps, minimise l'autre composante essentielle de la vie démocratique : le débat sur la scène publique. Il s'ensuit que le menemisme est un phénomène paradoxal : même s'il a été amené au pouvoir en vertu de son profil « authentiquement » péroniste, il a généré un consensus sur la base d'une action diamétralement opposée à la tradition de son parti ; s'il ne s'est jamais attardé sur les nuances de la démocratie, il a cependant favorisé indirectement l'épanouissement de certaines libertés ; il a véhiculé sans gêne les intérêts du grand capital, mais il a stoppé une inflation endémique dont l'effet sur le pouvoir d'achat des salariés avait été désastreux. Que ce soit par aveuglement, par résignation, par désaffection ou par conviction, les Argentins ont validé une mutation irréversible des principes de leur vie collective.

Selon Eugenio Kvaternik, le péronisme original cherchait à « tout couvrir » par une unanimité qui était, par définition, autoritaire, mais la voie entreprise après la défaite de 1983, par la « rénovation » d'abord et par Menem ensuite, déboucha sur une nouvelle forme de « tout couvrir », celle du « parti "attrape-tout" désidéologisé, pragmatique et orienté vers la maximisation des voix[37] ». Comme le suggère cet auteur, on peut penser que l'on assiste, à partir de 1989, au passage d'une « symbiose prétorienne » entre le péronisme et la société argentine à une « symbiose civique », où la seule réalité qui compte est celle du choix fait par les électeurs. Or, dans un contexte où l'identification et le consentement politiques sont de moins en moins faciles à mobiliser, Menem a dû déployer « une quantité énorme de ressources d'interpellation » afin de construire et de préserver des liens de représentation qui tendent à se dissoudre continuellement[38]. Il a donc interpellé sans

---

37. Eugenio Kvaternik, « El peronismo de los '90 : un análisis comparado », dans Ricardo Sidicaro et Jorge Mayer (dir.), *Política y sociedad en los años del menemismo*, Buenos Aires, Oficina de Publicaciones del CBC, 1995, p. 39.

38. Marco Novaro, « Menemismo y peronismo : viejo nuevo populismo », dans Ricardo Sidicaro et Jorge Mayer, *ibid.*, p. 61.

arrêt la société, en faisant allusion à « son histoire, à ses valeurs et à ses buts collectifs », investissant ainsi la « scène de symbolisation » où les citoyens cherchent à se reconnaître à travers des repères communs. Cette nouvelle manière de construire l'identité du péronisme serait, dans une certaine mesure, tributaire de la victoire de Raúl Alfonsín en 1983. L'abandon d'une « identité par altérité », définie par une opposition absolue entre deux camps (amis et ennemis), ainsi que l'importance croissante des liens de représentation contribuent à la formation d'une « politique de citoyens », ce qui ferait de Carlos Menem — sur ce plan — un continuateur de Raúl Alfonsín[39]. En ce sens, les Argentins se seraient rapprochés d'une conception de la politique où les règles sont aussi importantes que les finalités.

Qu'en est-il de Menem comme continuateur de Perón ? Soit l'on considère le menemisme comme la « phase finale » du péronisme, soit l'on y voit l'expression de l'opportunisme d'un homme qui se sert de la prégnance des « représentations péronistes » pour tromper le peuple. Dans un cas comme dans l'autre, il est clair que le génie de Menem a résidé dans son adaptation du dispositif d'énonciation péroniste aux nouvelles formes et aux nouveaux contenus caractéristiques de la mouvance néolibérale. En ce sens, le menemisme a bien réussi à construire « une culture officielle justificatrice d'un modèle économique fondé sur l'expulsion de nombreux citoyens du bien-être et du travail[40] ». En formant une alliance avec ce qui avait été jusque-là le noyau de l'antipéronisme de droite, il a fait appel à un « discours éthique » autour du besoin de réformer « l'État corrompu », ce qui a comporté une resémantisation des « notions d'unité et de différence, et de la manière dont elles s'articulaient au sein du régime politique[41] ». À la faveur d'un « imaginaire de la décadence », le statut de l'État, « produit collectif et niveau de l'unification de la société », est inversé et rendu responsable de tous les maux collectifs[42]. Ainsi, la prééminence acquise

---

39.   *Ibid.*, p. 45-73.

40.   María Seoane, « Introducción », dans *El menemato : radiografía de dos años de gobierno de Carlos Menem*, Buenos Aires, Ediciones Letra Buena, 1991, p. 10.

41.   María de los Angeles Yannuzzi, *La modernización conservadora : el peronismo de los 90*, Buenos Aires, Fundación Ross, 1995, p. 9.

42.   Silvia Sigal, *op. cit.*, p. 20.

par l'équilibre budgétaire, en tant que condition *sine qua non* de la stabilité, modifia de manière substantielle les rapports sociopolitiques en Argentine, car elle entraîna ce que Silvia Sigal et Gabriel Kessler appellent une « budgétisation » généralisée des demandes sociales[43].

Le budget devient progressivement le lieu par excellence de conformation du collectif où, par une opération d'homologation, ces demandes, transformées en valeurs partielles et comparables, sont reliées entre elles et, par leur effet comptable, le sont également au sort de la communauté[44].

L'expérience menemiste représente le sommet du pragmatisme politique et de l'abandon des idéaux au nom du réalisme économique. Beatriz Sarlo souligne pourtant que, si Menem a proclamé la « fin des idéologies », il n'a fait qu'« idéologiser » l'action de son gouvernement[45]. Cette auteure avance, en effet, que le pragmatisme menemiste est une idéologie comme n'importe quelle autre, appuyée sur des valeurs — telle l'efficacité — qui peuvent et doivent être soumises à la discussion comme toute autre valeur dans la sphère publique. Une version extrémiste du libéralisme de marché s'est installée avec Menem en Argentine, laquelle version opère sur la base du principe voulant que le bonheur et le bien commun résultent de la poursuite des intérêts individuels dans la sphère du marché[46].

Néolibéralisme et néopopulisme

Le néopopulisme des années 1990 est-il une version adaptée et actualisée du populisme des années 1940-1950 ou s'agit-il d'un phénomène essentiellement différent ? Appartiennent-ils à une même catégorie ? La réponse est « oui », si nous acceptons une définition qui accorde un poids fondamental à la dimension idéologique du phénomène. Autrement dit, si nous considérons que le populisme est un type de mouve-

---

43. Silvia Sigal et Gabriel Kessler « Comportements et représentations dans une conjoncture de dislocation des régulations sociales : l'hyperinflation en Argentine », inédit, 1996.
44. *Ibid.*, p. 19.
45. Beatriz Sarlo, *op. cit.*
46. *Ibid.*, p. 59.

ment qui met l'accent sur le « contact », sur le rapport empathique entre dirigeants et dirigés, nous affirmerons alors que le menemisme et le péronisme relèvent — malgré leurs nombreuses différences[47] — du même « code ». Face à ce qui est perçu comme un système qui bénéficie indûment à certaines minorités (les riches, les politiciens, les fonctionnaires, mais aussi, dans les perspectives conservatrices, les « assistés sociaux », les « faux réfugiés », etc.), ceux qui se représentent comme la « base de la société » ou comme « le substrat de la nationalité » seront portés à s'identifier à un leader capable de se présenter comme « un des leurs ». Bref, Perón et Menem, chacun dans son contexte historique, ont réussi — à des fins différentes et avec des résultats souvent négatifs — à susciter l'accès imaginaire des « gens ordinaires » aux aires de la citoyenneté politique en interpellant leur subjectivité, leurs croyances et leur identité.

Le menemisme s'est appuyé sur un discours antipolitique qui véhiculait les thèmes de la corruption, du gaspillage et de la « taille excessive » de l'État-providence. Plus sportif et play-boy qu'intellectuel, Menem se faisait photographier avec les vedettes du spectacle, jouait au football et se plaisait à conduire à toute vitesse une flamboyante Ferrari rouge : il a été l'emblème du « star-system de la politique[48] ». Dans une société de plus en plus atomisée, l'opinion publique construite par les sondages se substitue à l'action collective : la mise en échec des canaux institutionnels de représentation s'associe à une recherche opportuniste de majorités volatiles. La méfiance à l'égard des hommes politiques et des partis traditionnels favorise le recours à des simulacres de contact personnel, notamment à l'aide des médias de masse. Il n'est pas étonnant que, dans ce contexte, le populisme émerge comme un puissant outil d'interpellation politique. Mais ce qui surprend, c'est

---

47. Les différences sur les plans politique et économique entre le péronisme et le menemisme sont certes nombreuses et profondes : pensons aux relations avec les États-Unis et la Grande-Bretagne, à l'attitude envers les investissements étrangers, au rapport entre le leader et les capitaux nationaux, etc. Mais notre accent portait sur ce qui constitue leur dénominateur commun : le code populiste.

48. Silvio Waisbord, *El gran desfile : campañas electorales y medios de comunicación en la Argentina*, Buenos Aires, Editorial Sudamericana, 1995, p. 158.

l'articulation efficace du code populiste avec des programmes de réforme économique de mouture nettement néolibérale[49].

Kenneth Roberts s'est attardé sur le lien paradoxal qui se tisse entre populisme et néolibéralisme en s'attaquant au cas du fujimorisme (pour Alberto Fujimori, président du Pérou)[50]. Soulignant qu'en apparence ces deux courants sont incompatibles, voire antithétiques, il dégage pourtant certains dénominateurs communs. Roberts affirme que la convergence entre populisme et néolibéralisme résulte de leur « tendance réciproque à exploiter — et à exacerber — la désinstitutionnalisation de la représentation politique[51] ». Dans cette perspective, le populisme apparaît comme le complément politique naturel du néolibéralisme économique : en Amérique latine, où la société civile est faible, les institutions sont fragiles et les masses sont atomisées, un leadership personnaliste et clientéliste contribue à la fragmentation des identités collectives et à la démobilisation du peuple devant les réformes économiques. En ce sens, on serait devant une forme de « populisme libéral » différent du « populisme étatiste » que l'on a connu dans le passé. Un État « libéral-populiste » cherche une légitimation purement électoraliste et distribue des récompenses de façon extrêmement sélective en ciblant ses interventions de manière à obtenir des effets immédiats et visibles. Parlant du salinisme au Mexique, Alan Knight fait le même type de constat : « [le président] Salinas montra [...] qu'un populisme économique contrôlé était compatible avec l'économie néolibérale[52] » et que leur combinaison découle du besoin de créer un lien étroit entre les leaders politiques et les foules dans des contextes de bouleversement économique et de mobilisation rapide.

---

49. Victor Armony, « National Identity and State Ideology in Argentina », dans Mercedes Durán-Cogan et Antonio Gómez-Moriana (dir.), *National Identities and Socio-Political Change in Latin America,* New York, Garland Publishing, 2001, p. 293-319.

50. Kenneth Roberts, « Neoliberalism and the Transformation of the Populism in Latin America : The Peruvian Case », *World Politics*, vol. 48, n° 1, 1995, p. 82-116.

51. *Ibid.,* p. 113.

52. Alan Knight, « Populism and Neo-Populism in Latin-America, especially Mexico », *Journal of Latin American Studies*, vol. 30, 1998, p. 246.

Dans une perspective semblable, Kurt Weyland affirme que la convergence du néolibéralisme et du populisme « n'est pas simplement un accident historique[53] ». Il définit le noyau politique du « néopopulisme » comme

> une stratégie politique à trois caractéristiques : un leader personnaliste qui interpelle une masse hétérogène [...] ; le leader atteint les supporters de manière apparemment directe [...] ; si le leader construit de nouvelles organisations ou ravive d'anciennes organisations populistes, elles demeurent sous son contrôle personnel, avec des niveaux d'institutionnalisation très faibles[54].

Weyland admet que les différences entre le néolibéralisme et le néopopulisme sont importantes, mais il souligne que peu d'analystes ont tenté d'expliquer leur coexistence à la fois inattendue et synergique. Il avance la thèse suivante :

> [...] le néopopulisme et le néolibéralisme sont tous les deux antiorganisationnels dans leur biais majoritaire et individualiste, respectivement. Dans leur conception de la démocratie, ils mettent l'accent sur le nombre (« un citoyen, un vote ») comme principal critère et, en principe, ils refusent de reconnaître des poids particuliers tel le pouvoir économique des groupes de gens d'affaires[55].

Ces « affinités inhérentes » ont permis aux néolibéraux et aux néopopulistes de faire coïncider leurs sources ciblées d'appui (strates inorganisées et marginalisées, particulièrement dans le secteur informel), leurs efforts de centralisation du pouvoir au sommet de l'État (approche verticale qui permet l'application de réformes économiques) et leur capacité de susciter l'appui populaire en promettant d'éviter des dommages beaucoup plus lourds et de compenser les grandes pertes provoquées par l'hyperinflation[56]. Dans ce contexte, « l'ajustement néo-

---

53. Kurt Weyland, « Neopopulism and Neoliberalism in Latin America : Unexpected Affinities », *Studies in Comparative International Development*, vol. 31, n° 3, 1996, p. 3.
54. *Ibid.*, p. 5.
55. *Ibid.*, p. 9.
56. Kurt Weyland, « Swallowing the Bitter Pill : Sources of Popular Support for Neoliberal Reform in Latin America », *Comparative Political Studies*, vol. 31, n° 5, 1998, p. 562.

libéral devient acceptable et même attirant pour les leaders néo-populistes qui peuvent tourner l'adversité à leur avantage et gagner ainsi un large appui populaire en tant que sauveurs du pays[57] ».

Le péronisme est habituellement considéré comme l'expression paradigmatique du populisme latino-américain, cette forme particulière de corporatisme qui s'appuie sur un leadership charismatique et une rhétorique nationaliste. Le populisme, on le sait, est un phénomène très complexe et ses définitions sont nombreuses, parfois contradictoires. D'un point de vue purement idéologico-politique, il a ainsi été saisi comme « la présentation des interpellations populaires-démocratiques en tant qu'ensemble antagonique vis-à-vis de l'idéologie dominante[58] ». D'un point de vue strictement socio-économique, il a été considéré comme un programme développementiste et distributionniste où le gouvernement produit un transfert de ressources favorisant l'industrialisation et la croissance du marché interne[59]. Certaines définitions se forment dans une période historique et une aire géographique données, alors que d'autres réfèrent de façon très large à un « style politique » relativement courant dans beaucoup de sociétés[60]. Il existe aussi de profondes divergences en ce qui a trait aux rapports du populisme avec la démocratie et l'avancement collectif. Constitue-t-il une entrave à la liberté des individus et donc à l'épanouissement d'un État de droit (l'accent étant mis sur son caractère autoritaire et sur le fait qu'il empêche la modernisation de la société) ? Au contraire, représente-t-il un vecteur de mobilisation qui, lorsque les institutions sont perçues comme ne remplissant plus leur fonction de relais entre le peuple et l'État, favorise la participation des masses à la formulation des grandes orientations collectives ?

En dehors de l'Amérique latine (et particulièrement en Europe), le populisme est surtout vu comme un mouvement conservateur, aux penchants xénophobes ou même racistes, formé de petits propriétaires

---

57. Kurt Weyland, « Neopopulism and neoliberalism… », *op. cit.*, p. 18.
58. Ernesto Laclau, *Política e ideología en la teoría marxista*, Mexico, Siglo XXI, 1980.
59. Rudiger Dornbrusch et Sebastian Edwards, *The Macroeconomics of Populism in Latin America*, Chicago, University of Chicago Press, 1991.
60. Alan Knight, *op. cit.*

ou de travailleurs qui se sentent menacés par le changement social[61].
Cependant, durant le XXe siècle, il a offert à bien des Latino-Américains une voie d'accès symbolique, sinon matérielle, à la sphère publique. Le populisme tend à émerger dans des contextes de crise ou de blocage ; il s'enracine dans le besoin de reconstituer le lien entre l'individu et la communauté. Dans le rapport populiste, les « gens ordinaires » cherchent à rétablir le contact entre leurs expériences subjectives et la raison ultime de « l'être-ensemble[62] ». Le populisme court-circuite les instances de représentation et de médiation politique, vues comme obsolètes ou inefficaces, au nom de l'intérêt national et du bien commun. Il va de soi que cela peut avoir des conséquences néfastes sur les libertés individuelles et le respect des minorités. Toutefois, il serait erroné de ne voir dans le phénomène populiste que l'expression de l'organicisme et de l'irrationalité. Il peut aussi véhiculer, comme ce fut parfois le cas en Amérique latine, un projet pleinement moderne, soit l'affirmation de la souveraineté populaire devant un système qui marginalise de façon structurelle la majorité de la population. Le populisme latino-américain est-il donc progressiste ou réactionnaire, de gauche ou de droite ? La réponse est loin d'être simple et univoque. Il peut être « progressiste », par exemple, quand son nationalisme s'oppose à la connivence des élites du pays avec les pouvoirs et les capitaux étrangers, mais il devient « réactionnaire » quand ce même nationalisme instaure une pensée unique qui, sous le couvert du patriotisme, écrase toute opposition au régime dominant. Il est de « gauche » quand il promeut l'adoption de mesures de protection sociale, mais il est de « droite » quand il consolide un système de relations sociales inégalitaires. Or, le péronisme a fait tout cela en même temps.

Nous avons effectué une étude systématique des discours publics de Raúl Alfonsín et de Carlos Menem[63]. Cette analyse comparative

---

61.   Pierre Birnbaum, *Le peuple et les Gros : histoire d'un mythe*, Paris, Hachette, 1995.
62.   Voir Victor Armony, « Néopopulisme et néolibéralisme : quelques éléments pour une conceptualisation », *Égalité*, n° 44-45, 1999, p. 13-34.
63.   Il s'agit d'une analyse assistée par ordinateur. Voir Victor Armony, *Représenter la nation : le discours présidentiel de la transition démocratique en Argentine (1983-1993)*, Montréal, Balzac, 2000.

d'environ 600 allocutions nous a permis de mieux cerner le contraste entre les deux projets de société mis de l'avant par ces présidents. Nous avons ainsi pu constater que le discours alfonsiniste de 1983 à 1989 se centre sur le besoin d'un « effort extraordinaire » que l'ensemble de la société doit consentir pour sortir de la crise et moderniser le pays. À cette fin, l'accent est mis sur l'importance des droits et des institutions pour la transition de l'autoritarisme vers une nouvelle forme de coexistence (fondée sur la tolérance et la coopération). Les principales formes verbales du discours évoquent une volonté active, consciente et collective. Dans l'énonciation, les idées de savoir et de conviction apparaissent comme les préalables de toute action. Menem, en revanche, se place lui-même au centre de son discours : c'est lui qui vient, qui veut, qui convie le peuple à « mettre en marche » le pays. Le discours menemiste interpelle ses destinataires en visant leurs cœurs et leurs sentiments de fraternité. Le président mentionne de façon récurrente le nom du pays et emploie le terme émotionnellement chargé de « patrie » ; il invoque Dieu, Perón et la communauté. Il demande à ses compatriotes de l'aider à transformer l'Argentine en luttant contre la corruption produite par un État hypertrophié qui empêche non seulement le marché de fonctionner correctement, mais aussi favorise certains intérêts particuliers au lieu de récompenser le travail.

Aux fins de comparaison du péronisme et du menemisme, nous avons constitué un nouveau corpus. Nous avons mis au point une banque de données informatisées qui nous a permis de contraster le discours des trois leaders politiques argentins les plus importants de la seconde moitié du XXe siècle. Nous avons réalisé une analyse statistique visant à identifier, de façon comparative, les termes qui caractérisent la parole officielle de Perón, d'Alfonsín et de Menem[64]. On voit ainsi clairement que le sujet privilégié par le discours péroniste est le « peuple », les « masses », les « ouvriers » et les « ouvrières », « notre

---

64. Pour cette procédure, nous avons utilisé les messages annuels à l'Assemblée législative (Perón : 1948, 1949 et 1950 ; Alfonsín : 1984, 1985, 1986, 1987, 1988 et 1989 ; Menem : 1990, 1991, 1992, 1993, 1995, 1996, 1997, 1998 et 1999). L'analyse a été effectuée à l'aide du logiciel Lexico2, (auteur : André Salem, Université Paris 3).

mouvement », les « sans-chemises ». La référence à l'existence de classes sociales et au conflit entre le travail et le capital est explicite (le « capital », la « propriété », les « classes », l'« oligarchie », « capitaliste »), ainsi que la référence à la tension idéologique face au communisme (« communiste »). Les valeurs évoquées sont celles de l'« ordre », l'« indépendance économique », l'humanisme (« les hommes », l'« humanité »), la « Patrie » et l'« unité nationale ». Le discours renvoie aussi au contexte de la Seconde Guerre mondiale (« paix », « guerre ») et aux objectifs d'« industrialisation », de création et distribution de la « richesse ». Enfin, il faut remarquer l'importance de la notion de « doctrine » — le credo péroniste — et de celles de « vérité » et de « fraude ».

Peut-on identifier une continuité entre le discours de Perón dans les années 1940-1950 et celui de Menem dans les années 1990 ? Leur vocabulaire est nettement différent. Nous voyons surtout des références à la gestion étatique et au fonctionnement de l'économie : « croissance », « millions de pesos », « (du) travail », « stabilité », « emploi », « investissement », « transparence », « évasion », « hyperinflation », « pauvreté », « sécurité », « retraités ». Toutefois, il est possible de déceler un dénominateur commun : autant le discours péroniste que le discours menemiste se distinguent du discours alfonsiniste, en ce qu'ils favorisent une représentation de la société où les médiations institutionnelles sont dévalorisées. Alors que le discours de Raúl Alfonsín privilégie une conception républicaine et contractualiste de l'« être-ensemble » (« démocratie », « projet », « institutionnel », « valeurs », « pluralisme », « participation », « coexistence pacifique »), les discours de Juan Perón et de Carlos Menem ont tendance à dépolitiser le lien social, à désinstitutionnaliser la représentation politique. Le deux se positionnent en dehors du champ politique et proposent une vision fataliste de l'avenir : le pays a un destin à accomplir, une essence à exprimer, une promesse à réaliser, celle de la « Grande Argentine » (Perón) ou celle de « l'un des dix meilleurs pays du monde » (Menem). Le péronisme — à travers une conception *organiciste* — le fait en créant une correspondance imaginaire entre le leader et le collectif nation-peuple (composé des « vrais Argentins », des « travailleurs »). Le menemisme — à travers une conception *atomiste* — le fait en posant le sort individuel comme étant intimement lié à celui du collectif national : chaque personne apte au travail qui ne participe pas au marché nuit à la performance générale de l'économie (augmentation des impôts, réduction des dépenses publiques, perte de compétitivité, réduction de la confiance des investisseurs, chute de la monnaie, etc.) et, de ce fait, se nuit à elle-même. Cette logique à la base d'un discours mobilisateur et moralisateur rappelle aux citoyens leurs obligations envers la communauté à laquelle ils appartiennent. L'orgueil national, comme dans le péronisme, est au cœur de la vision menemiste : « Grâce à la continuité, à la rationalité, à la prévisibilité et à la coopération internationale, notre Argentine est sur le seuil de rencontrer les normes de Maastricht, c'est-à-dire de figurer parmi les cinq pays les plus avancés de la planète[65]. »

Un code identitaire

Lorsqu'on recense les écrits sur l'Argentine des années 1990, on constate très vite que l'expérience menemiste suscite des jugements tranchés, alors que le fait même de leur diversité témoigne du caractère fort complexe de ce type de phénomène politique. Les contradictions s'accumulent autour de Menem : nous l'avons vu, il fait régresser la cause de la justice sociale, mais il compte sur l'appui des plus démunis ; il représente le péronisme « profond », ce qui lui permet de démanteler la résistance syndicale et de faire fi des récriminations des nationalistes[66]. De manière générale, il est possible de dégager deux aspects de ce paradoxe : (a) le lien entre le menemisme et le péronisme ; (b) l'insertion du menemisme dans le contexte des transformations de la société contemporaine (ouverture économique, mondialisation, postmodernité, etc.). Ces aspects s'articulent, bien sûr, aux thèses qui pourraient expliquer le soutien populaire (ou, du moins, l'acceptation passive) accordé au modèle économique mis sur pied par le gouvernement. Si l'on considère que le peuple a continué à voter pour le

---

65. Carlos Menem, Message à l'Assemblée législative, 1er mars 1996.
66. Hugo Moreno, « Argentine : populisme et fin de "l'anomalie" ? », *Science(s) politique(s),* n° 1, 1993, p. 95.

péronisme par fidélité au leader ou par attachement à la mémoire collective — même si cela allait à l'encontre de ses intérêts « de classe » — il faut alors saisir le discours menemiste dans son rapport au code identitaire populiste. Par contre, si l'on avance que la société a changé ses orientations, de sorte que la représentation néolibérale du monde serait de plus en plus retenue comme la seule option « crédible » et « réaliste » (ou, en tout cas, toujours préférable au « chaos » appréhendé des voies alternatives), on doit alors se pencher sur l'innovation idéologique que constitue le menemisme par rapport à la vieille doctrine péroniste.

Le mouvement fondé par Juan Perón incarnait le parti de l'équité sociale aux yeux de ceux qui avaient été, jusque-là, exclus du système. Ricardo Sidicaro signale qu'après le coup d'État de 1955, le discours « égalitariste » d'un péronisme banni du jeu politique ne pouvait que se renforcer durant les alternances entre les régimes militaires et les gouvernements civils peu légitimes, s'enracinant de plus en plus dans le champ de l'action syndicale[67]. En 1973, lors du bref retour au pouvoir du péronisme, les attitudes contradictoires du leader et de son épouse envers les demandes des secteurs populaires ne suffirent pas à ébranler la foi des travailleurs dans le « justicialisme » : à peine amorcée, l'expérience fut avortée par le putsch de 1976. L'imaginaire péroniste expliqua alors l'intervention militaire comme la réaction des minorités économiquement privilégiées à l'orientation pro-ouvrière de l'État. Le fait que, durant la dictature, l'équité sociale connut effectivement un recul significatif parut confirmer cette perception. Enfin, pendant l'administration d'Alfonsín, le péronisme opposa une résistance féroce à toute mesure d'inspiration libérale, comptant toujours sur la mobilisation des syndicats autour du thème de la justice sociale. C'est ainsi que Menem remporta le suffrage de 1989 sur la base du constat de la profonde crise sociale, interprétée comme la conséquence des politiques « non péronistes » d'Alfonsín. Le nouveau président justifia alors son programme de transformation par ce que Ricardo Sidicaro appelle « le discours de l'urgence économique[68] »). Selon cet auteur, les sec-

---

67. Ricardo Sidicaro, *op. cit.*, p. 119-156.
68. *Ibid.*, p. 125.

teurs populaires, quoique défavorisés par ce programme, sont demeurés cependant accrochés aux « idées collectives » portées par le péronisme : l'on a constaté une certaine diminution dans le nombre et l'enthousiasme des supporters traditionnels du mouvement, mais il semble que les « représentations sociales péronistes » avaient acquis une telle autonomie entre 1945 et 1989 qu'elles ont pu se révéler efficaces même dans le cadre d'un projet aux visées néolibérales.

Or cela nous mène à poser une question fondamentale : existe- t-il un lien nécessaire entre le code identitaire péroniste — fondé, comme le posent Silvia Sigal et Eliseo Verón[69], sur la définition d'une opposition « Nous-Eux » qui se situe à un niveau suprapolitique — et la « politique péroniste », c'est-à-dire un type spécifique d'action gouvernementale qui prétend viser le bien-être du peuple ? Si la réponse est affirmative, il s'ensuit que le menemisme implique une « trahison » de l'héritage de Juan Perón : usant de la loyauté et du mémorial populaires, Menem favorise le capital aux dépens des intérêts des travailleurs. Par contre, si la réponse est négative, on doit inscrire le tournant néolibéral dans une logique différente : le populisme — autant dans sa version originale que dans sa version actuelle — aurait toujours desservi les secteurs les plus démunis de la société. Dans cette perspective, Atilio Borón avance que, loin de correspondre à une déviation, le menemisme représenterait « la consommation du cycle historique ouvert par le péronisme le 17 octobre 1945[70] ». Ainsi, le menemisme constituerait la phase finale d'une « alliance polyclassiste » qui a pu mobiliser les masses « d'en haut » afin de soutenir le capitalisme « social » des années 1940 et 1950, et, plus tard, le capitalisme mondialisé des années 1990. Cette lecture implique l'attribution d'un caractère essentiellement « réactionnaire » au péronisme : Menem actualiserait un modèle de domination qui bénéficie d'abord aux élites tout en suscitant le consentement des secteurs populaires grâce à l'emprise du leadership charismatique.

---

69. Silvia Sigal et Eliseo Verón, *Perón o muerte. Los fundamentos discursivos del fenómeno peronista*, Buenos Aires, Legasa, 1986.
70. Atilio Borón, *Estado, Capitalismo y Democracia en América Latina*, Buenos Aires, Imago Mundi, 1991, p. 50.

Nous l'avons vu, le lien que Carlos Menem établit avec les électeurs durant la campagne de 1989 se fonda sur la sympathie spontanée
que sa présence suscitait, sa figure ressortant comme l'emblème de ce
que le péronisme avait constitué comme identité collective. Cette
capacité d'identification émotionnelle avec les foules expliquerait
comment Menem a pu développer une « pédagogie de transformation
en profondeur de la société » sans pour autant renoncer au péronisme
comme fondement de sa légitimité, ce qui lui permit de demeurer
perçu comme étant « globalement » péroniste[71]. Si l'on poursuit cette
ligne de pensée, on doit conclure que le menemisme « est » le péronisme parce qu'il recrée « l'homologie entre le statut du leader et les
collectifs[72] », indépendamment des « contenus » idéologiques concrets
qu'il véhicule. Mais le « personnalisme » est un trait typique de la
politique argentine, d'autant plus que le présidentialisme facilite la
concentration du pouvoir décisionnel et le péronisme, avec l'idée de
« verticalité », a toujours incarné le plus haut degré de cette tendance.
Menem s'insère, bien sûr, dans ce courant qui relie par définition la
loyauté des supporters à l'efficacité du leadership.

Toutefois, il faut souligner une différence majeure par rapport au
« personnalisme » traditionnel : à la différence de Juan Perón, Carlos
Menem tendrait à effacer toute possibilité réelle ou imaginaire d'in-
teraction. En effet, selon Isidoro Cheresky, le candidat péroniste est
arrivé au pouvoir avec un profil néopopuliste caractéristique : un leadership construit au moyen d'un contact personnalisé, corporel, avec
les foules, mais qui se cristallise finalement comme un pouvoir lointain, sans instances de médiation qui puissent susciter un dialogue ou
même faire croire à l'existence d'un dialogue[73]. Ce néopopulisme s'associe, bien évidemment, aux mutations auxquelles on assiste aujour-
d'hui dans l'univers des communications politiques. Dans un contexte
où le programme du parti, la doctrine rigoureuse et le débat idéologique
ont perdu leur prédominance, Menem est passé maître dans les nouveaux « genres » discursifs, tel le simulacre du contact immédiat par

---

71. Gérard Guillerm, *op. cit.*, p. 36-37.
72. Silvia Sigal et Eliseo Verón, *op. cit.*
73. Isidoro Cheresky, *op. cit.*, p. 34.

le biais de l'écran télévisuel[74]. Beaucoup a été dit sur « l'esthétique menemiste », c'est-à-dire la dimension « histrionique » de l'homme politique
et de son entourage. Comme le signale Leonor Arfuch, l'excès gestuel
et la quête de la beauté physique (dans l'habillement, la coiffure et
même l'altération chirurgicale du corps), ainsi que la logique du « jet
set » et du spectacle font de l'espace public un lieu de pure « médiati-
sation »[75].

Il s'agit d'une transformation dans la façon même de concevoir le
rapport entre les détenteurs du pouvoir et ceux qui les ont élus. Le
menemisme aurait poussé à l'extrême cette tendance à mettre l'accent sur
la séduction comme principe relationnel. « Ce n'est plus l'usage traditionnel du charisme ou de la personnalité comme appui de crédibilité
à la fonction de gouvernement, *c'est l'apothéose même de la biographie
comme fondement de la politique*[76]. »

Les plus cyniques diront que chaque peuple a les leaders qu'il
mérite : les Argentins n'ont pas su profiter des doctes propos d'Alfonsín,
un véritable homme d'État ; ils se sont tournés vers le charmeur, le fan-
faron, le macho… Notre interprétation est plus nuancée : le menemisme
a réussi la synthèse entre l'imaginaire de la « Grande Argentine » — au
centre de l'identité nationale (le pays n'a pas atteint le niveau où il
devrait être à cause de X qui bloque la réalisation de son destin grandiose) — et le mythe très puissant de l'autorégulation du marché dans
le contexte de la mondialisation des échanges. Le populisme caractérise les sociétés aux « aspirations non réalisées[77] ». Ce n'est pas une
coïncidence si les leaders populistes tendent à surgir dans des « pays
riches » (en termes de ressources naturelles ou de ce qui est perçu comme
un héritage ethnique ou culturel important) avec des « peuples pauvres ». Comme le dit Margaret Canovan, « le populisme exploite cette

---

74. Alberto Quevedo, « La política bajo el formato televisivo », dans Héctor
    Schmucler et Cristina Mata, *op. cit.*, p. 19.
75. Leonor Arfuch, « Biografía y política », *Punto de Vista*, n° 47, 1993, p. 18-21.
76. *Ibid.*, p. 19. Italiques dans l'original.
77. Jeremy Adelman, « Spanish-American Leviathan ? State Formation in Nine-
    teenth-Century Spanish America », *Comparative Studies in Society and History*,
    vol. 40, 1998, p. 391-408.

brèche entre la promesse et la performance[78]». Or Menem a trouvé un nouveau coupable de la décadence argentine : l'État hypertrophié. Voilà pourquoi l'Argentine ne décolle pas et ne se range pas parmi ses pairs, les grands du monde ! Il fallait, bien sûr, un péroniste « authentique » pour démanteler l'État interventionniste. Quand, tout d'un coup, le peso est plus stable que le dollar canadien, l'inflation plus faible que celle des pays européens, la croissance économique plus forte que celle des tigres asiatiques, l'illusion de l'Argentine grandiose surgit avec puissance. Raúl Alfonsín a été le premier président à tenter de désactiver cette pulsion téléologique : il promit au peuple un avenir meilleur à la condition d'accomplir collectivement un « effort extraordinaire », il a affirmé que la nation n'est que ce que nous voulons construire ensemble. Carlos Menem, en revanche, livra ce que bien des Argentins espéraient depuis longtemps : l'assurance que l'Argentine demeurait encore et toujours un pays exceptionnel.

---

78.   Margaret Canovan, « Trust the People ! Populism and the Two Faces of Democracy », *Political Studies*, vol. 47, n° 1, 1999, p. 12.

4

Chapitre

La mobilisation populaire

Sous l'emprise de la « pensée unique » néolibérale, l'Amérique latine connut une relative accalmie sociale jusqu'au milieu des années 1990. Presque tous les pays de la région adoptèrent des réformes visant le libre-échange et l'« ajustement structurel » (réduction des dépenses publiques, réforme de la fiscalité, etc.) prôné par le Fonds monétaire international et d'autres organismes multilatéraux[1]. D'une part, la privatisation des entreprises publiques et la déréglementation de secteurs clés, comme la finance, le transport, les télécommunications, l'énergie et l'exploitation des ressources naturelles furent à l'origine d'un influx massif d'investissement, de technologie et de pratiques de gestion de l'étranger. Cela favorisa la modernisation des infrastructures et donna lieu à une croissance économique relativement stable[2]. Il ne faut certes pas sous-estimer l'impact de cette récupération de l'activité productive après ce que l'on a nommé la « décennie perdue » des années 1980, pendant laquelle l'Amérique latine avait subi une contraction économique comparable à celle des années 1930[3]. Mais, d'autre part, ces

1. Carlos Larrea, « Estrategias de desarrollo y políticas sociales en América Latina », dans Alberto Acosta (dir.), *El Desarrollo en la Globalización. El Reto de América Latina*, Quito, Nueva Sociedad, 2000, p. 189-210.
2. Entre 1990 et 1998, la croissance annuelle moyenne de l'Amérique latine a été de 3,5 %. Voir Antonio Palazuelos Manso, « Introducción a la realidad económica latinoamericana », dans Fernando Harto de Vera (dir.), *América Latina : Desarrollo, democracia y globalización*, Madrid, Trama/Cecal, 2000, p. 44.
3. Forrest Colburn, *Latin America at the End of Politics*, Princeton, Princeton University Press, 2002, p. 14.

transformations eurent l'effet de creuser encore plus le fossé entre les riches et les pauvres, cela dans une région qui affichait déjà les niveaux de concentration de revenus les plus élevés de la planète[4]. L'inégalité s'aggrava aussi en raison de l'érosion des réseaux de sécurité sociale, particulièrement les services sociaux et les programmes de subsides gouvernementaux.

Or, la crise financière mexicaine de 1994-1995, suivie par les crises de la Thaïlande (1997-1998) et du Brésil (1999), ainsi que l'évidence d'une croissante polarisation entre les gagnants et les perdants d'un modèle économique sur lequel les États ne pouvaient pas — ou ne voulaient pas — exercer leur souveraineté, commencèrent à susciter une réponse de plus en plus étendue de la part des acteurs de la société civile. Après ce qui semblait le triomphe du conformisme, de la résignation ou de la peur face à un projet qui s'imposait comme naturel et imparable, une vague de protestation prit de l'élan partout en Amérique latine. Il va de soi que la contestation sociale n'avait pas disparu, mais ses manifestations visibles constituaient l'exception plutôt que la norme. C'est vers la fin des années 1990 qu'un tournant fut atteint, si bien que l'on allait pouvoir dire que « la protestation est devenue socialement universelle. D'anciens et de nouveaux acteurs, dans bien des cas, insolites ou impensables "protestants", se sont joints à la désobéissance sociale[5]. » À la suite d'une longue phase de démobilisation, voire de passivité, les Latino-Américains redécouvraient ou, plus précisément, réinventaient l'action collective.

Les mouvements de protestation qui sont alors apparus étaient significativement différents des « mouvements populaires » des années 1970 et 1980. Référant au cas du Brésil, Maria da Glória Gohn affirme que ces nouveaux mouvements sociaux sont davantage centrés sur des enjeux éthiques ainsi que sur une revalorisation de la vie humaine. Ils

---

4.   Bernardo Kliksberg, *Desigualdade na América Latina. O debate Adiado*, São Paulo, Cortez, 1999, p. 21.

5.   Luis Salamanca, « Protestas venezolanas en el segundo gobierno de Rafael Caldera : 1994-1997 », dans Margarita López Maya (dir.), *Lucha Popular, Democracia, Neoliberalismo : Protesta Popular en América Latina en los Años de Ajuste*, Caracas, Nueva Sociedad, 1999, p. 247.

s'engagent dans des luttes civiques et promeuvent un type particulier d'activisme : même s'ils continuent de faire des pétitions aux autorités, ils explorent d'autres voies pour répondre à leurs propres besoins[6]. En d'autres mots, ils cherchent à concevoir et à mettre en œuvre des solutions aux problèmes. Ces solutions se fondent habituellement sur l'établissement de réseaux locaux, sur l'auto-organisation et sur le travail d'organisations communautaires ou non gouvernementales. Adrián Scribano et Federico Schuster décrivent une mutation similaire en Argentine. En effet, ils considèrent que, durant les années 1990, la mobilisation sociale est devenue moins attachée aux syndicats et plus identifiée aux divers groupes d'individus socialement marginalisés[7]. Selon Scribano et Schuster, ces nouveaux acteurs tentent de construire de nouveaux espaces politiques qui soient cohérents avec leur vécu. Cette dynamique s'articule à un élargissement de la société civile, avec, d'une part, une multiplication du type de demandes adressées à l'État et une tendance à la fragmentation des secteurs populaires (sur des bases territoriales, identitaires, etc.) et, d'autre part, une convergence autour d'une quête de reconnaissance et d'inclusion, tant matérielle que symbolique[8]. Il s'agit, dans les mots d'un membre du Mouvement des paysans sans terre du Brésil, de « redonner une dignité, un travail à ces exclus[9] ».

---

6. Maria da Glória Gohn, *Os Sem-Terra, ONGs e Ciudadanía : A sociedade civil brasileira na era da globalização*, São Paulo, Cortez, 2000.
7. Adrián Scribano et Federico Schuster, « Protesta social en la Argentina de 200 : entre ruptura y normalidad », *Observatorio Social de América Latina*, n° 5, septembre 2001, p. 17-22.
8. Javier Auyero, *Contentious Lives. Two Argentine Women, Two Protests, and the Quest for Recognition*, Durham, Duke University Press, 2003, p. 7.
9. Cité dans *Croissance*, n° 407, septembre 1997, p. 37. Le mouvement des sans-terre (MST) est né il y a plus de vingt ans, donc il est antérieur aux « nouveaux mouvements » des années 1990. Pourtant, c'est durant la dernière décennie qu'il a pris de l'ampleur, devenant un acteur social majeur au Brésil, ainsi qu'un symbole de la mobilisation populaire face aux inégalités (avec plus de 145 000 familles en 1996). Voir Maria Das Graças Rua, « Exclusión social y acción colectiva en el medio rural. El Movimiento de los Sin Tierra de Brasil », *Nueva Sociedad*, n° 156, 1998, p. 156-165.

On constate dans ces mouvements un accent sur l'engagement réfléchi et éclairé des membres, à l'opposé des pratiques centralisées, hiérarchiques et dogmatiques d'antan. Dans la « Carta de Goiania », un manifeste fondateur des sans-terre brésiliens, on lit : « Nous attirons l'attention des compagnons sur l'importance d'une participation consciente dans les décisions politiques, car les problèmes que nous subissons sont le fruit des injustices et du manque de participation[10]. » Le sous-commandant Marcos, leader des zapatistes mexicains, exprime également cette volonté de fonder une citoyenneté active et inclusive : « Notre stratégie est de créer du mouvement, de la mobilisation, dans cette société civile, mouvement pluriel, ample, aux bords et d'en haut vers le bas, avec des objectifs ou des buts très concrets [...] afin d'obtenir des espaces de participation et des espaces de reconnaissance[11]. » Comme le pose Boaventura de Sousa Santos, « l'émancipation pour laquelle ils se battent vise à transformer leur vie quotidienne [...] ici et maintenant et non pas dans un avenir lointain[12] ». Cette nouvelle forme de mobilisation affirme la subjectivité et encourage l'initiative des militants, son sujet étant le « groupe social » plutôt que la « classe sociale »[13].

C'est dans ce contexte qu'a émergé un nouvel acteur social et politique en Argentine, que l'on peut comparer aux zapatistes ou aux sans-terre, et qui constitue l'expression collective d'un sentiment de ras-le-bol : les *piqueteros*. Historiquement, le péronisme avait été la principale voie d'accès à la citoyenneté politique et sociale des secteurs laissés pour compte. Or, l'expérience du menemisme démontra que le péronisme pouvait être, non seulement peu démocratique, mais aussi antipopulaire. Le phénomène des *piqueteros* — un terme dérivé de celui de « piquet de grève » — surgit en juin 1996, quand près de 20 000 chômeurs, employés de l'administration publique, étudiants, fermiers et d'autres citoyens ont bloqué pendant une semaine la route d'accès

---

10. Cité dans Carlos Aznárez et Javier Arjona, *Rebeldes sin tierra. Historia del MST de Brasil*, Navarre (Espagne), Txalaparta, 2002, p. 38.
11. Cité dans Manuel Vázquez Montalbán, *Marcos : El Señor de los Espejos*, Madrid, Punto de Lectura, 2001, p. 282.
12. Boaventura de Sousa Santos, « Los nuevos movimientos sociales », *Observatorio Social de América Latina*, nº 5, septembre 2001, p. 178.
13. *Id.*

à Cutral Có et à Plaza Huincul[14]. Ces deux villes de la province de Neuquén, en Patagonie, avaient été profondément affectées par la fermeture des raffineries d'YPF, l'ancienne compagnie pétrolière nationale privatisée sous Menem en 1992. Bien qu'initialement encadrée par l'opposition politique, la protestation s'organisa de manière autonome sur la base de la tenue continuelle d'assemblées et de la nomination de représentants avec des mandats précis, décidés par consensus. Refusant toute médiation des partis ou de syndicats, les *piqueteros* négociaient directement avec les autorités provinciales. À la surprise de plusieurs, l'action des manifestants fut un succès. Le gouverneur céda sur plusieurs des demandes, notamment au sujet de la distribution de nourriture, de l'aide à la création de coopératives d'emploi et à l'investissement dans de nouveaux travaux publics[15].

Le recours à cette nouvelle forme de protestation allait être de plus en plus fréquent en 1997 et 1998. Les événements de Cutral Có allaient servir d'« exemple de lutte » pour l'ensemble du pays, affirmait l'un des participants quelques années plus tard[16]. Des événements similaires eurent lieu dans trois autres villes en 1997[17]. La figure du *piquetero* était alors née : au-delà de la diversité des formes et des objectifs du conflit social, les acteurs se représentaient (et étaient représentés par les médias) comme faisant partie d'un même mouvement[18]. Outre les aspects concrets de l'action collective, le *piquetero* surgissait comme une « narration », une « grande condensation symbolique », une « nou-

---

14. L'élément déclencheur fut l'annulation d'un contrat que le gouvernement provincial avait signé avec la firme canadienne Agrium pour l'installation d'une usine de fertilisants.

15. Voir Germán Lodola, « Social Protests under Industrial Restructuring : Argentina in the Nineties », communication présentée au congrès de l'Association canadienne des études latino-américaines et caraïbes, Montréal, 2002.

16. Hernán López Echagüe, *La política está en otra parte. Viaje al interior de los nuevos movimientos sociales*, Buenos Aires, Norma, 2002, p. 182.

17. Il s'agit de Libertador General San Martín, Tartagal et Cruz del Eje. Voir Nicolás Iñigo Carrera et María Celia Cotarelo, « La protesta social en los '90 », *PIMSA. Publicación del Programa de Investigación sobre el Movimiento de la Sociedad Argentina*, Buenos Aires, 2000, p. 179.

18. Javier Auyero, *La protesta. Retratos de la beligerancia popular en la Argentina democrática*, Buenos Aires, Centro Cultural Rojas-UBA, 2002.

velle identité sociale », ancrée dans la mémoire des luttes et des revendications populaires et exprimant la volonté de récupérer « le travail
comme acte visible, existentiel et communautaire »[19]. En ce sens, on a
pu constater une évolution : des réseaux de coordination furent mis en
place, ce qui rendait plus efficaces leurs manifestations sur deux plans.
D'une part, elles étaient mieux planifiées, y compris en ce qui concerne
l'organisation des barrages routiers afin de gêner la circulation, mais
de ne pas empêcher, par exemple, le passage d'ambulances ou de
camions de pompiers ; d'autre part, les risques de confrontation avec
la police étaient minimisés (en établissant des périmètres de sécurité en
accord avec les autorités), ce qui permettait au mouvement de se
maintenir dans le terrain d'une « illégalité légitime ». Il est évident que,
en même temps, on a constaté une perte de cette relative spontanéité
qui caractérisait initialement le phénomène et qui lui conférait une
grande indépendance.

En effet, l'un des aspects les plus distinctifs du mouvement des
piqueteros est le fait qu'il n'est pas issu d'un parti ou d'un syndicat.
Cependant, il a tissé très tôt des liens avec la Centrale des travailleurs
argentins (CTA). La CTA, seule centrale syndicale à admettre des affi-
liations directes et ouverte aux « travailleurs au chômage », avait été
créée en 1992 comme alternative à la Confédération générale des
travailleurs (CGT), dont les dirigeants avaient été cooptés par le menemisme. Les *piqueteros* ont aussi des rapports avec le Courant Classiste
et Combatif (CCC), associé au Parti communiste révolutionnaire, ainsi
qu'avec le « Bloc *piquetero* », formé de plusieurs groupes radicalisés
ou d'extrême gauche[20]. Le mouvement n'a pas d'idéologie unificatrice,
bien que ses déclarations publiques mettent de l'avant des positions
clairement antisystème. Par exemple, les leaders les plus connus des
piqueteros, Luis D'Elia (responsable de la CTA) et Juan Carlos Alderete

---

19.   Horacio Gónzalez, « La Patria », dans Pablo Chacón (dir.), *El misterio argentino*,
      Buenos Aires, El Ateneo, 2003, p. 208-209.
20.   Parmi eux : Polo Obrero (PO), Movimiento Teresa Rodriguez (MTR), Frente
      Unico de Trabajadores Desocupados (FUTRADE), Movimiento Territorial de
      Liberacion (MTL), Movimiento Independiente de Jubilados y Pensionados
      (MIJP), Coordinadora Anibal Veron (CTD), Agupacion Tendencia Classista 29
      de Mayo, Movimiento Sin Trabajo Teresa Vive.

(de la CCC), ont livré un communiqué conviant à la formation d'un « gouvernement d'unité populaire » pour arrêter « ce génocide économique planifié par l'impérialisme[21] ». Alderete a ainsi résumé l'objectif : « Aujourd'hui, ce que nous revendiquons, c'est le geste populaire et historique d'un mouvement de masse national[22]. »

Au-delà des déclarations de ces leaders, le mouvement demeure hétérogène et complexe. Il existe, d'une part, le clivage entre les « modérés » (la CTA et le CCC) et les « radicalisés » (le Bloc). Dans ce contexte, on constate que certains groupes sont disposés à négocier avec le gouvernement, car ils obtiennent des bénéfices concrets pour leurs membres, alors que d'autres s'opposent à toute forme de compromis. Mais cette divergence se reflète aussi dans l'image qu'ils projettent lors des manifestations. Alors que certains cachent leur visage avec des passe-montagnes ou des foulards — un geste de défiance fort symbolique[23] —, d'autres tiennent à montrer qu'ils sont des citoyens ordinaires, poussés par des circonstances exceptionnelles à prendre leur destin en main. Il faut aussi souligner que ceux qui obtiennent des subsides d'assurance-chômage (connus d'abord sous le nom de *Plans Travailler* et, plus tard, de *Plans Chefs de Foyer*) ne participent pas nécessairement au barrage routier, même s'ils les reçoivent par le biais des organisations des *piqueteros*. En effet, l'État fédéral alloue à chacune de ces organisations un nombre de subsides et celles-ci, par le biais de procédures participatives de prise de décision, les distribuent à leurs membres. Le mouvement des *piqueteros* fonctionne ainsi comme une grande agence sociale parallèle, distribuant des centaines de milliers de subsides. Cette situation génère non seulement le risque de créer un nouveau clientélisme (car le mouvement gère des subsides, sans véritable contrôle externe), mais aussi une concurrence entre les divers secteurs du mouvement en vue de l'obtention des fonds du gouvernement. Pourtant, cinq ans après Cutral Có, la volonté de s'unir autour

---

21. *Clarín*, 17 août 2001.
22. Juan Carlos Alderete, cité dans *Le Monde*, 24 mai 2001.
23. Ils portent aussi parfois de longs bâtons, un geste controversé car il évoque la possibilité de la violence. Les *piqueteros* argumentent qu'il s'agit d'une mesure d'autodéfense face à la répression policière.

d'un projet d'action collective l'emportait toujours sur les différences. Le 24 juillet 2001 se tenait à La Matanza, en banlieue de Buenos Aires, le premier congrès national des *piqueteros*, visant à coordonner dans tout le pays « la résistance civile contre l'ajustement[24]. »

Bref, les *piqueteros* sont des individus qui ont été expulsés du marché de travail — ou qui n'y ont jamais accédé — et qui exigent aussi bien une aide concrète de l'État qu'une reconnaissance de leurs droits comme citoyens. Beaucoup n'ont aucune expérience d'emploi stable ou d'activité syndicale[25]. Certains sont devenus des militants, alors que d'autres participent surtout aux activités d'entraide (soutien alimentaire aux familles, troc et recyclage de vêtements, construction de logements, démarrage de projets communautaires, etc.[26]). Ces hommes et ces femmes[27], parfois des familles entières, s'installent autour des barrages routiers avec des tentes, tiennent des assemblées, brûlent des pneus et partagent des soupes populaires. Leur image à la fois admirable et pathétique, transmise en permanence par les médias, est rapidement devenue le symbole de la résistance au modèle néolibéral. Plus important encore, ils ont aussi été le catalyseur d'une vaste mobilisation de la société civile[28]. Ils sont parvenus à « personnifier » la protestation sociale[29] : leurs tactiques et, à certains égards, même leur identité, furent

---

24. *Le Monde*, 28 juillet 2001.
25. Verónica Maceira et Ricardo Spaltenberg, « Una aproximación al movimiento de desocupados en el marco de las transformaciones de la clase obrera en Argentina », *Observatorio Social de América Latina*, n° 5, septembre 2001, p. 25.
26. Paula Colmegna, « The *Piquetero* Movement of the Unemployed : Active Rejection of an Exclusionary Form of Democracy », communication présentée au congrès de l'Association canadienne des études latino-américaines et caraïbes, Montréal, 2002.
27. La participation féminine a été déterminante dans la création du mouvement. Dans certains barrages routiers, on pouvait compter plus de femmes que d'hommes.
28. Un sondage effectué en août 2001 montrait que 40 % des Argentins appuyaient les demandes des *piqueteros*, quoique l'accord avec leurs méthodes était moindre (*Clarín*, 12 août 2001).
29. Paula Klachko, « Cutral Có y Plaza Huincul. El primer corte de ruta (del 20 al 26 de junio de 1996). Cronología e hipótesis », *PIMSA. Publicación del Programa de Investigación sobre el Movimiento de la Sociedad Argentina*, Buenos Aires, 1999, p. 122.

adoptées par d'autres, tels des petits commerçants, des retraités, des travailleurs de la santé et des enseignants. Les *piqueteros*, avec les protestataires de la classe moyenne, allaient jouer un rôle clé dans le processus menant à la chute du gouvernement de l'*Alianza*, présidé par Fernando de la Rúa, en décembre 2001. Ironiquement, ce gouvernement était porté au pouvoir comme une alternative progressiste au projet de Menem.

Le gouvernement de l'*Alianza*

L'*Alianza por la Justicia, el Trabajo y la Educación* (Alliance pour la justice, le travail et l'éducation), une coalition entre l'Union civique radicale (UCR) et le Front pour un pays solidaire (FREPASO), fut élue le 24 octobre 1999 sur la base d'une plate-forme de centre-gauche qui prônait « le plein emploi, la justice pour tous, une meilleure éducation, la santé comme un droit, un État sans corruption et une communauté sans peurs[30] ». Elle s'était présentée comme le vecteur d'une rupture, non seulement vis-à-vis d'un modèle économique injuste, mais aussi par rapport à une culture politique caractérisée par la corruption, le népotisme et la frivolité. Pourtant, certains des acquis du menemisme allaient être conservés. En s'adressant à la convention annuelle de l'Association des banques de l'Argentine, Fernando de la Rúa, candidat à la présidence de l'*Alianza*, rassurait les décideurs économiques, misant sur son style sobre et son allure de bon gestionnaire : « Je maintiendrai la stabilité et je maintiendrai la convertibilité dans notre pays[31]. » Carlos (Chacho) Álvarez, candidat à la vice-présidence, se faisait, quant à lui, le garant du renouveau éthique, tant attendu par les Argentins : « Ce nouveau chemin, qui dépasse les vieilles recettes populistes, mais aussi le fondamentalisme de marché [...] doit d'abord s'appuyer sur une grande réforme culturelle et morale de la politique[32]. »

---

30. C'était la dixième élection nationale depuis la fin de la dictature (si l'on compte l'assemblée constitutionnelle de 1994).
31. Fernando de la Rúa, « Discurso en la Convención anual de la Asociación de Bancos de la Argentina », Buenos Aires, Presidencia de la Nación, 7 juillet 1999.
32. Chacho Álvarez, « Presentación del Gran Cambio », 25 mai 1999.

L'*Alianza* allait obtenir 9 millions de voix (48,6 %), alors que les péronistes Eduardo Duhalde et Ramón (Palito) Ortega en recevraient 7 millions (37,9 %). L'*Acción por la República*, dont le candidat présidentiel était l'économiste du menemisme, Domingo Cavallo, serait choisi par 2 millions de citoyens (10,2 %). Plusieurs aspects de cette élection étaient inédits. D'abord, c'était la première fois au XXe siècle que le président de la République allait partager le pouvoir avec un vice-président, leader d'un autre parti politique. En effet, l'*Alianza* était née d'une coalition entre le radicalisme et le FREPASO, lui-même un regroupement de partis de centre-gauche formé pour s'opposer à la réélection de Menem. Le vice-président Álvarez avait été le chef du plus important de ces partis, le *Frente Grande*, créé par des dissidents péronistes fortement critiques du modèle économique. Le FREPASO reçut le soutien d'environ 5 millions de citoyens en 1995, arrivant en deuxième place, mais il ne réussit pas à empêcher la reconduction du menemisme. Alliés avec l'UCR pour les élections législatives de 1997, ils purent alors ensemble briser l'hégémonie du parti au pouvoir, remportant la majorité des voix. La victoire de l'*Alianza* en 1999, enfin, fut vue par bien des Argentins comme la voie de sortie du projet néolibéral. Comme nous le verrons, les attentes furent loin d'être satisfaites, ce qui allait déclencher encore un autre cycle de frustration à l'égard des gouvernants.

Ensuite, pour la première fois depuis 1983, ce n'était pas un chef personnaliste — comme Alfonsín ou Menem — qui remportait le scrutin. Avec plus de trente ans de vie politique mais sans jamais avoir véritablement brillé, Fernando de la Rúa s'inscrivait dans l'aile conservatrice de l'UCR (qui s'était opposée à l'« alfonsinisme » en 1983)[33]. On n'attendait pas de De la Rua, un politicien sans charisme, le miracle d'une « régénération nationale » ou d'une « nouvelle Argentine », comme cela avait été le cas avec Alfonsín et Menem, mais tout simplement l'assurance d'un bon gouvernement, la mise en place d'une

---

33. De la Rúa est un catholique pratiquant. Il s'est assuré que cela soit connu des électeurs : il est allé à la messe le soir précédant l'élection et il est arrivé à l'hôtel Panamericano, son « bunker » de campagne, portant visiblement une Bible sous le bras.

administration honnête, équitable et responsable. La campagne électoral de 1999 s'est caractérisée par un certain manque d'enthousiasme chez les Argentins, ce qui correspondait à une véritable chute dans le taux de participation des citoyens dans l'activité politique. Si en 1983, 73 % d'entre eux s'identifiaient comme affiliés ou sympathisants d'un parti politique donné, cette proportion n'était que de 37 % en 1999[34].

Certains observateurs ont attribué cette relative passivité à une sorte de « normalisation[35] » de la vie publique au pays (soulignant, avec raison, que moins de passion collective voulait aussi dire moins de violence politique), alors que d'autres ont vu là un symptôme du repli individualiste et d'une moindre ferveur démocratique. Tous les commentateurs s'accordaient cependant sur l'existence d'une tendance à la « sur-médiatisation » de la campagne. Comme jamais auparavant, on constata l'intervention ouverte et prépondérante de consultants étrangers — notamment des États-Unis et du Brésil — en marketing politique[36]. Les dépenses des principaux candidats atteignirent des sommets jusque-là inconnus, les sondages et les stratégies des candidats devenant, plus que les idées et les plates-formes, l'objet central du débat électoral. C'est dans un tel contexte que l'image de De la Rúa — celle d'un homme idoine et fiable — fut minutieusement construite. Dans un spot télévisuel devenu célèbre, le candidat transformait magistralement un défaut en vertu : « On dit que je suis ennuyeux, c'est peut-être parce que je ne conduis pas une Ferrari [en allusion à la voiture de Menem, symbole de son style flamboyant] [...] Ce que l'on appelle ennuyeux, c'est mon esprit austère, mon intégrité, mon sérieux républicain. »

Enfin, le résultat de l'élection de 1999 signifia que, pour la toute première fois de son existence, le péronisme devait céder le pouvoir

34. Ces données proviennent d'un sondage réalisé par Mora y Araujo y Asociados. Voir Fernando Laborda, « La hora de la consolidación », *La Nación*, 23 octobre 1999.
35. La politique serait ainsi devenue « routinière », « modérée ». Voir Clifford Krauss, « Sour on Status Quo, Argentines Vote for President », *The New York Times*, 24 octobre 1999.
36. Voir Atilio Cadorín, « La última campaña del siglo », *La Nación*, 23 octobre 1999.

— légitimement, par la volonté du peuple — à un autre parti politique[37]. Le péronisme avait remporté presque toutes les élections législatives entre 1987 et 1997, ainsi que les présidentielles de 1989 et 1995. Le candidat du péronisme, Eduardo Duhalde, avait dû se placer dans une position fort ambiguë, car il devait à la fois se réclamer du parti au pouvoir (en évoquant par exemple le succès de la stabilisation économique) et se distancer du modèle néolibéral. En tant que gouverneur de la province de Buenos Aires, il avait reçu depuis 1994 un transfert supplémentaire du gouvernement fédéral (700 millions de dollars américains par an), ce qui lui permit de contenir le conflit social et de soutenir un vaste réseau clientéliste[38]. Les banlieues industrielles de la capitale sont ainsi restées acquises au péronisme. Pourtant, Duhalde fit tout son possible pour se démarquer de Menem, dans le but de capter la puissante vague de mécontentement à l'égard du gouvernement, d'autant plus que les deux hommes étaient devenus non seulement des adversaires politiques, mais aussi des ennemis personnels. Bref, Duhalde tentait de se présenter comme un « vrai péroniste », porteur des valeurs nationales et populaires que l'on n'aurait jamais dû trahir :

> Nous appartenons au Mouvement qui a redonné la stabilité et la dignité internationale à l'Argentine. Un Mouvement qui est né pour être la voix de ceux qui n'en ont pas, et non pas pour flatter les banquiers. Un mouvement qui n'a pas écrit 50 ans d'histoire pour se courber devant les puissants[39].

Duhalde fit même des déclarations qui laissaient entendre une certaine réticence à payer l'entièreté de la dette extérieure[40]. Quoique son attitude de défiance fut grandement appréciée par les secteurs nationalistes de la société, ce discours au penchant démagogique lui fit

---

37. Quand le péronisme a été au pouvoir, il a été reconduit électoralement (en 1952 et en 1995) ou bien il a été délogé par un coup d'État (en 1955 et en 1976).

38. Voir Miguel Bonasso, « El presidente que no podía ser », *Página 12*, 29 octobre 1999.

39. Eduardo Duhalde, « Discurso pronunciado en la provincia de Santiago del Estero », 17 juillet 1999.

40. Eduardo Duhalde, « Discurso pronunciado ante la Asociación de Bancos de la Argentina (ABA), con motivo de su reunión anual », juillet 1999.

perdre encore plus de crédibilité auprès des marchés et des classes moyennes. Le noyau de la droite économique — constituée notamment par les grands gagnants du modèle — vota pour Cavallo, abandonnant ainsi l'alliance établie avec le péronisme sous l'égide du menemisme. Ce groupe avait voté pour Alvaro Alsogaray, conservateur proche des militaires, en 1989 et pour Menem après sa « conversion » au néolibéralisme. On peut argumenter que, sans ce 10 %, Duhalde a obtenu strictement le vote des péronistes loyaux, attachés à l'identité péroniste et principaux destinataires du clientélisme populiste[41].

Le 10 décembre 1999, Fernando de la Rúa prêtait serment à titre de nouveau président. Les défis étaient immenses et les conditions de départ étaient bien peu reluisantes. Les Argentins s'attendaient à un changement, mais dans la continuité. Autrement dit, ils voulaient sortir de la récession tout en protégeant la stabilité monétaire (pas d'inflation, pas de dévaluation), dont la « convertibilité » était la pierre d'assise. La situation s'avérait pourtant extrêmement compliquée du point de vue économique et de la Rúa ne semblait pas être à la hauteur de la tâche. De plus en plus perçu comme indécis, timide, voire incompétent, le président perdit rapidement la confiance des Argentins. Ils le jugèrent également inefficace et insuffisamment déterminé sur le front de la lutte contre la corruption, un aspect clé du programme de l'*Alianza*. Un scandale politique éclata en mai 2000, lorsqu'il fut révélé que des sénateurs péronistes avaient reçu des pots-de-vin de la part de l'exécutif dans le but d'assurer leur vote à une réforme de la loi sur l'emploi (visant la flexibilité des contrats de travail, une mesure fortement décriée par les syndicats et les secteurs populaires). Le vice-président Álvarez démissionna de son poste afin de signifier son dégoût face à de telles pratiques. Ce geste reflétait aussi le sentiment de bien des citoyens, déçus par un président dont l'image ne correspondait plus à celle qui avait été si vigoureusement projetée durant la campagne

---

41. Le sociologue Torcuato Di Tella estime que le 38 % des suffrages obtenus par Duhalde représente assez justement la proportion de ce qu'il appelle le « péronisme véritable » (« peronismo genuino »). Le 10 % de la droite néolibérale permit à Menem d'atteindre 48 % des voix en 1995 (*Clarín*, 31 octobre 1999).

électorale. Le virage à droite du gouvernement fut confirmé quelques mois plus tard lorsque de la Rúa fit appel à Domingo Cavallo, le même qui avait piloté le tournant néolibéral entre 1991 et 1996, pour qu'il devienne son nouveau ministre de l'Économie.

Le gouvernement de l'*Alianza* se trouvait dans une situation extrêmement difficile. Les tentatives de réduction significative des dépenses de l'État, une exigence du FMI, se heurtaient à la résistance du Congrès, toujours contrôlé par les péronistes, ainsi que par les gouverneurs des principales provinces du pays (Buenos Aires, Córdoba et Santa Fé). En avril 2000, le boom financier de Wall Street se terminait et l'économie globale entrait dans une phase de contraction[42]. En février 2001, la crise de la Turquie affectait négativement l'ensemble des « marchés émergents », dont l'Argentine. Le gouvernement subissait une pression extrême de la part des prêteurs et des investisseurs étrangers et le conflit social devenait de plus en plus aigu. Un sondage effectué en avril 2001 montrait que les Argentins n'avaient plus confiance dans la capacité de leur président à sortir le pays de la crise. À la question « Qui a davantage de pouvoir politique ? », 32 % répondaient « Cavallo » et seulement 8 % mentionnaient « de la Rúa »[43]. Le président réagissait à ce rejet de l'opinion publique en s'isolant de son parti et en concentrant la prise de décision dans son entourage le plus intime (où ses fils jouaient un rôle clé).

Le 11 juillet 2001, de la Rua annonçait le septième plan d'ajustement économique depuis son arrivée au pouvoir. Le plan d'austérité, conçu par Cavallo, prévoyait un « déficit budgétaire zéro », ce qui devait être accompli, entre autres, par la réduction des salaires des fonctionnaires de l'État et des pensions des retraités. Ces mesures permirent au gouvernement de rencontrer provisoirement les conditions imposées par le FMI en vue de l'octroi d'un nouveau prêt de huit milliards de dollars. Pourtant, cela ne fut pas suffisant pour sortir le pays de la profonde récession dans laquelle il était plongé depuis 1998. Le spectre d'un défaut de paiements imminent fit grimper le « risque-

---

42.   David Rock, « Racking Argentina », *New Left Review*, n° 17, 2002, p. 83.
43.   Sondage effectué par Centro de Estudios Nueva Mayoría à Buenos Aires entre le 20 et le 22 avril 2001 (605 cas).

pays », qui indique l'intérêt que l'État doit payer en plus du taux du Trésor américain, limitant encore plus l'accès au crédit. Cette situation finit par asphyxier les entreprises nationales, déjà accablées par une monnaie surévaluée qui les rendait peu compétitives vis-à-vis des produits importés. Le programme d'ajustement mis de l'avant par le gouvernement touchait aussi les enseignants et le personnel des services de santé publique, ce qui portait, sur le plan symbolique, un coup fatal à ce qui restait du projet solidaire que l'*Alianza* avait voulu incarner. Dans un contexte où le chômage atteignait 16 % (deux millions de personnes) et 15 % de la population active travaillait dans des conditions de sous-emploi ou d'extrême précarité, le nouveau plan économique ne pouvait que rendre la situation sociale encore plus explosive. L'augmentation marquée de la délinquance dans les grandes villes contribuait d'ailleurs à alimenter un climat généralisé d'insécurité. Les gestes désespérés de bien des gens, ainsi qu'une répression policière souvent excessive, convergeaient dans une dangereuse spirale de violence. C'est dans ce contexte que la protestation sociale se généralisa, à tel point que l'on pouvait parler de l'Argentine comme d'une « société mobilisée ». Durant la première année du gouvernement de De la Rúa, on compta 514 barrages routiers à l'échelle du pays. Les *piqueteros*, de plus en plus actifs, mirent sur pied un comité national de coordination et, le 31 juillet 2001, ils organisèrent le blocage simultané de 145 routes, avec la participation de 40 000 personnes. Mais ce type de praxis collective qui brouillait la frontière entre légalité et légitimité n'était plus le monopole des chômeurs. D'autres groupes protestataires — y compris des Argentins de classe moyenne dont le niveau de vie avait considérablement diminué — se joignaient à cette mouvance de désobéissance civile[44].

La parole des *piqueteros*

Pourquoi ces Argentins ont-ils agi de la sorte ? Qu'est-ce qui les a poussés à sortir dans les rues, à faire appel à des méthodes si peu con-

---

44. Nicolás Iñigo Carrera et María Celia Cotarelo, « La protesta en la Argentina (enero-abril de 2001) », Consejo Latinoamericano de Ciencias Sociales (CLACSO), Observatorio Social de América Latina, nᵒ 4, 2001.

ventionnelles ? Il est évident que le niveau de frustration était extrêmement élevé et que la situation économique ne laissait présager aucune
amélioration à court terme. Pour comprendre ce qui s'est passé en
Argentine, il faut saisir la transformation dans la subjectivité des
acteurs. Comme nous l'avons vu, la première moitié de la décennie
avait été caractérisée par une relative paix sociale. Déjà en décembre
1993, une émeute populaire dans la ville de Santiago del Estero[45], dans
le nord-ouest du pays, laissait entrevoir le conflit latent qui allait s'in-
tensifier jusqu'à exploser quelques années plus tard. La nouveauté du
phénomène résidait dans l'identité de ses protagonistes — des « gens
ordinaires » dans la plupart des cas —, dans la nature de leurs actions
— des gestes de désobéissance civile pacifique visant à mettre de la
pression sur les autorités —, dans leur volonté de redéfinir le statut de
citoyen — comme porteur de droits inaliénables — et dans leur méfiance
envers toutes les institutions et tous les détenteurs de pouvoir. Le barrage routier représentait une appropriation des lieux publics par ceux
qui se sentaient dépossédés, escroqués par un système foncièrement
injuste. Leur état d'esprit était individuel, mais non pas nécessairement individualiste ; tourné vers la collectivité plutôt que collectiviste ;
pragmatique, bien qu'ancré sur des valeurs humaines fondamentales.

Une nouvelle culture politique semblait, en effet, prendre de l'ampleur en Argentine. La mobilisation sociale se déployait selon des
paramètres différents de ceux qui avaient guidé l'action collective jusqu'aux années 1990. L'identité émergente de *piquetero* était, à certains
égards, plus subjective qu'objective : on pouvait appartenir à divers
groupes sociaux, avec des intérêts particuliers, mais on se rejoignait
autour de la figure du « protestataire ». Dans toutes ses manifestations,
la protestation se fondait sur la prémisse que les dirigeants — élus,
fonctionnaires, bureaucrates — avaient « trahi » les intérêts du peuple[46].
C'est justement en invoquant les besoins concrets et immédiats du

---

45. Ces événements eurent lieu les 16 et 17 décembre. La rébellion populaire fut
connue sous le nom de *Santiagueñazo*. Des foules ont attaqué et brûlé les sièges
provinciaux du gouvernement, du pouvoir judiciaire et de la législature, ainsi
que les maisons de plusieurs politiciens. Il s'agissait de la première d'une série
d'émeutes qui allaient secouer d'autres villes dans le nord de l'Argentine.
46. Nicolás Iñigo Carrera et María Celia Cotarelo, *op. cit.*, p. 174.

peuple, des « gens », que l'on se mobilisait. Ce type de contestation sociale était donc bien distinct de celui qui référait à une option politique ou à un leader charismatique et, encore plus, de celui qui convoquait à une « lutte de classes » ou à une « libération nationale ». Un élément clé dans ces nouvelles formes de mobilisation, c'était l'importance du vécu personnel dans la manière dont le protestataire concevait son engagement. C'est pourquoi un phénomène comme celui des *piqueteros* argentins ne peut pas être saisi en dehors des « dimensions morales et culturelles qu'impliquent [...] les croyances et les pratiques » des participants[47]. Un jeune homme décrivait son intégration dans le mouvement comme s'il avait connu une libération psychologique :

> Après le premier barrage routier auquel nous avons pris part, nous sommes restés avec l'estime de soi reconstituée et nous avons réessayé [...]. La récupération de l'estime de soi, et l'idée qu'il est possible de faire ce pas, fait que tu te lances malgré la peur. Et je crois que ce qui a changé [...] c'est qu'on a pensé qu'il était possible et qu'il valait la peine de lui faire face[48].

Dans les pages qui suivent, nous présentons une analyse de quelques entrevues effectuées au Centre communautaire d'Oroño, dans Las Delicias, un quartier de classe moyenne appauvrie de Rosario[49]. Cette ville, la troisième du pays, a une population de près d'un million d'habitants. Rosario a été un important pôle industriel durant plusieurs décennies, surtout jusqu'aux années 1970, mais elle a été frappée de manière extrêmement sévère par la récession. Le chômage atteignait déjà 20 % avant la crise de décembre 2001[50]. Le Centre d'Oroño fait partie d'un réseau de centres communautaires établis par le mouvement

---

47. Pamela E. Oliver, Jorge Cadena-Roa, et Kelley D. Strawn, « Emerging Trends in the Study of Protest and Social Movements », dans Betty A. Dobratz, Timothy Buzzell et Lisa K. Waldner (dir.), *Research in Political Sociology*, vol. 11, JAI Press, 2003.

48. Hernán López Echagüe, *op.cit.*, p. 33.

49. Ces entrevues ont été réalisées par Elena Bessa. L'analyse de discours qui suit reprend l'essentiel de ce qui a été présenté dans Victor Armony et Elena Bessa, « Emerging Social and Ethnic Identities in Latin America », communication présentée au 15ᵉ Congrès international de sociologie, Brisbane (Australie), 2002.

50. Gloria Beatriz Rodríguez, « Un "Rosario" de conflictos. La conflictividad social en clave local », *Observatorio Social de América Latina*, n° 5, septembre 2001, p. 34.

piquetero de Rosario dans le but de distribuer de la nourriture et des vêtements aux chômeurs, ainsi que d'organiser et de canaliser les demandes d'aide sociale vis-à-vis du gouvernement municipal et provincial. Par exemple, les *piqueteros* d'Oroño ont organisé en août 2001 — dans le cadre d'une protestation nationale — un barrage routier de 72 heures, avec la participation de centaines d'hommes, de femmes et d'enfants[51]. Ils ont aménagé des tentes pour la nuit, des toilettes chimiques, une unité de soins médicaux et une cuisine temporaire. Parmi les activités réalisées, il y eut des assemblées populaires et des classes publiques données par des enseignants universitaires. La police monta un important dispositif de sécurité, mais le barrage se déroula sans aucune violence[52]. Face au succès de la manifestation, un leader du mouvement *piquetero* de Rosario déclarait :

> Ce que l'on a vécu ici détruit le mythe que [les gens] sont obligés de venir [comme une condition pour recevoir les subsides gouvernementaux gérés par les organisations *piqueteras*]. C'est la faim, le chômage et la misère de ce modèle économique qui les mobilisent[53].

Les entretiens ont eu lieu durant la crise de la fin décembre 2001, dans un contexte de haut conflit social. Les personnes interviewées ont répondu pendant une trentaine de minutes à des questions générales sur leur engagement dans les activités de protestation et d'entraide (par exemple : « Pourquoi êtes-vous devenu *piquetero* ? » ; « Quel est le but de votre lutte ? » « Comment se déroule un barrage routier ? »), mais l'objectif a surtout été de les amener à s'exprimer librement sur leur expérience dans le mouvement. Nous cherchions ainsi à obtenir des informations sur leur autoreprésentation, leur identité, leur perception des enjeux politiques, leurs craintes et leurs désirs. Bref, il s'agissait de cerner la signification que ces acteurs sociaux attribuent à leur appartenance au mouvement *piquetero*. Cette analyse de la parole de cinq hommes et trois femmes a bien sûr une portée limitée. Toutefois, nous croyons qu'elle nous permet d'entrevoir les traits d'une nouvelle modalité d'action collective. Nous avons conservé les noms réels de trois

---

51.   *El Ciudadano* (Rosario), 17 août 2001.
52.   *Rosario 12*, 15 août 2001.
53.   Alberto Orellano, cité dans *La Capital* (Rosario), 17 août 2001.

personnes : Julio (López), Roberto (Pérez) et Nora (Pérez), car ce sont des figures publiques et elles sont souvent mentionnées dans les journaux locaux, mais nous avons changé les noms des autres cinq personnes afin d'en assurer l'anonymat : Teresa, Ana María, Raúl, Néstor et Carlos. Julio est un ancien étudiant de droit. Il est le plus politisé des personnes interviewées. Il est à la tête de la *Federación de Tierra y Vivienda* (Fédération de terre et logement), un groupe rattaché à la *Central de los Trabajadores Argentinos* (CTA). Roberto est au chômage depuis trois ans. Sans avoir d'expérience syndicale préalable, il est devenu président du Centre communautaire d'Oroño. Son cheminement de travailleur à chômeur et puis de chômeur « désespéré » à leader *piquetero* a fait l'objet d'un article de journal[54]. Nora est l'épouse de Roberto. Mère de huit enfants, elle est très connue parmi les femmes du mouvement *piquetero* de Rosario. Julio, Roberto et Nora sont ce que l'on appelle habituellement des « référents » — des leaders formels ou informels — du mouvement *piquetero* à Rosario. Teresa et Ana María participent à la gestion de la cantine du Centre. Raúl et Néstor sont des délégués de bidonvilles des alentours de Rosario. Ils viennent régulièrement à Oroño pour chercher de la nourriture — quand il y en a — et d'autres articles de première nécessité pour les leurs. Carlos est un chômeur qui fait du travail bénévole au Centre.

Les entrevues ont été transcrites intégralement et enregistrées dans une base de données informatisées[55]. Au moyen de quelques procédures d'analyse statistique, il est possible d'en extraire les mots clés (les fréquences sont indiquées entre parenthèses). Commençons par les trois « référents » du mouvement :

Julio[56] : nous (78), compagnons (60), gens (39), Rosario (25), quartier (24), quartiers (17), coupe (16), piquet (barrage routier) (16), police

---

54. Alicia Simeoni, « Nombres, apellidos, dolor e historias de piqueteros », *Rosario 12*, 12 août 2001.

55. La base des données comporte un total de 25 271 mots. Leur répartition par entrevue est la suivante : Julio (8176 mots) ; Roberto (6200) ; Nora (3993 mots) ; Raúl (2385) ; Néstor (1807) ; Carlos (1694) ; Teresa (593) ; Ana María (423).

56. En espagnol : *nosotros, compañeros, gente, Rosario, barrio, barrios, corte, piquete, policía, trabajo, cortes, empleo, gobierno, planes, CTA, comida, calle, compañero, agua, país, piquetes.*

(16), travail (16), coupes (15), emploi (15), gouvernement (15), plans (14), CTA (13), nourriture (12), rue (12), compagnon (11), eau (11), pays (11), piquets (barrages routiers) (11).

Roberto[57] : nous (77), travail (28), gens (24), gouvernement (20), *piqueteros* (18), national (14), maison (13), groupe (13), mouvement (13), famille (11), assemblée (10), compagnons (10), femmes (10), *piquetero* (10), coopératives (9), humain (9), naturel (8), chimiques (8), survivre (8), vie (8).

Nora[58] : maison (25), nous (24), gens (23), travail (18), gamins (14), lait (14), femmes (14), mari (12), problèmes (10), réclamer (10), centre (9), communautaire (9), piquets (barrages routiers) (9), manger (8), politique (9), quartier (7), verre (7), famille (7), argent (7), religion (7).

Dans le discours de ces leaders *piqueteros*, on trouve l'image récurrente des « gens » (*gente*) comme une multitude (« beaucoup de gens », « des tas de gens », « la plupart des gens ») qui se réunit pour coopérer : « tous les gens qui venaient en solidarité », « beaucoup de gens qui collaboraient avec nous », « la participation des gens était de plus en plus grande ». Cela contraste avec l'usage très peu fréquent du mot *pueblo*, « peuple ». Le discours se centre sur le besoin de travail et des choses les plus élémentaires (de la nourriture, de l'eau, du lait), ainsi que sur des enjeux fondamentaux tels la survivance et la dignité humaine. Les propos de Roberto sont particulièrement clairs à cet égard :

> [...] le travail est une fierté pour un ouvrier, ça signifie beaucoup de choses, car travailler veut dire aussi apporter le salaire au foyer [...] quand on n'a pas de travail, on se sent inutile, car on est assis sans rien faire pour la société, pour la famille [...]

> [...] si je ne fais pas quelque chose pour ma famille, elle va disparaître, donc c'est une question de logique de la nature comme être humain, comme être vivant, je vais chercher à survivre [...]

57.   En espagnol : *nosotros, trabajo, gente, gobierno, piqueteros, nacional, casa, grupo, movimiento, familia, asamblea, compañeros, mujeres, piquetero, cooperativas, humano, natural, químicos, sobrevivir, vida.*

58.   En espagnol : *casa, nosotros, gente, trabajo, chicos, leche, mujeres, marido, problemas, reclamar, centro, comunitario, piquetes, comer, política, barrio, copa, familia, plata, religión.*

[...] quand on est au chômage, on se sent inutile comme être humain et on cherche à changer ça.

Roberto parle d'intégration et, ce qui est très significatif, utilise souvent la notion de « droits » pour référer aux demandes des *piqueteros* :

> [...] nous leur disons que nous avons droit à la vie, que nous avons droit au travail, que nous avons droit à la santé, que nous avons droit à l'éducation [...]

> [...] nous étions vraiment un groupe social qui était dans les marges de ce système, mais qui luttait pour s'y intégrer et pour réclamer les droits qui nous reviennent [...]

Ces trois personnes conçoivent le mouvement *piquetero* comme un espace de renouveau et de croissance individuelle et collective. Ils mettent l'accent sur la portée universelle de leur lutte (« n'importe qui peu devenir *piquetero* »), sur leur volonté de se faire entendre et reconnaître par la société, ainsi que par leur désir de « pouvoir vivre comme n'importe quel autre citoyen » :

> Nous, comme *piqueteros*, sentons que, en partie, nous sommes responsables de générer un tas d'espoirs qu'il n'y avait pas ici [...] (Julio)

> [...] dans ces barrages routiers une nouvelle patrie est en train de naître [...] (Julio)

> [...] je crois que nous pouvons tous être *piqueteros*, si on a l'idée de se sentir utile [...] (Roberto)

> [...] ceci fait aussi en sorte que les autorités soient en train de nous voir autrement, car la seule façon de gagner leur respect était de nous faire entendre, et nous nous faisons entendre avec ces barrages routiers (Roberto)

> [...] le rêve de tout le monde, c'est [...] de pouvoir envoyer les enfants à l'école, de pouvoir leur donner à manger tous les jours, que l'enfant n'ait pas à y aller pour avoir un verre de lait, mais qu'il ait du lait chez lui, qu'il n'ait pas à aller à une cantine [gratuite], mais qu'il [puisse] manger avec sa famille chez lui. Voilà ce que nous voulons ici [...] (Nora)

Ils sont conscients de l'importance de l'image qu'ils projettent, notamment à travers les médias. Ils savent que le gouvernement est sensible à l'opinion publique — particulièrement l'opinion de la classe moyenne — et que celle-ci oscille entre la sympathie envers la cause des *piqueteros* et la réticence quant à leurs méthodes illégales de pro testation. Par ailleurs, une partie de l'opinion publique croit que beaucoup de ceux qui participent aux barrages sont manipulés ou même forcés par les militants du mouvement[59]. Pour contrecarrer cette impression, ainsi que pour éviter la répression policière, il est important pour les *piqueteros* de montrer que leurs actions sont le fait de protestataires « authentiques » :

> [...] nous leur démontrons [que même s'il faut avoir l'esprit dérangé] pour endurer volontairement trois jours sous la pluie avec nos enfants, c'est bien ça ce que nous avons démontré à tout le monde [...] disons que celui qui le fait doit être convaincu [...] (Julio)

> La majorité des gens qui coupent [les routes] sont des femmes, des femmes avec des enfants, donc réprimer ça [serait] un acte de cruauté, disons, très grand (Julio)

De manière générale, le discours de Julio est plus politisé — il parle du mouvement et des institutions —, alors que celui de Nora porte surtout sur les problèmes des familles et de la communauté. Roberto fait référence aux *piqueteros* et aux instances politiques, mais il renvoie aussi à la famille, à la condition d'être humain et à certains dangers environnementaux qui le préoccupent particulièrement (par exemple, l'usage de fertilisants chimiques dans les cultures locales). Comme on peut s'attendre des leaders communautaires, les inquiétudes de Roberto et de Nora sont centrées sur la vie des gens de leur quartier. Cependant, il est intéressant de constater que même le discours de Julio véhicule très peu de contenu proprement politique. Les trois leaders *piqueteros* insistent, en effet, sur l'identité non politique des participants et du drame humain qu'ils représentent :

> Nous, c'est-à-dire le Centre communautaire, n'a pas de parti politique en particulier, n'a pas de couleur politique ni de religion, chacun qui participe ici a son idée politique et religion [...] (Nora)

> [...] l'impuissance et la rage d'interpeller les flics et de leur dire, tu reçois ton salaire et [pourtant] ta famille meurt de faim comme ces gens-là, ou

---

59.   Voir Walter Palena, « La protesta terminó con el ánimo alto », *La Capital* (Rosario), 17 août 2001.

bien nous les regardions dans la face et nous leur disions « tu n'as pas de frère au chômage, de mère, et tu vas tirer sur les femmes ? » (Julio)

Teresa et Ana María s'occupent de la cuisine du Centre d'Oroño et participent à la préparation des soupes populaires lors des barrages routiers. Plusieurs femmes âgées comme elles travaillent bénévolement au Centre, nettoyant les lieux, rangeant les provisions, réconfortant les malades ou aidant les professionnels de la santé et les enseignants du quartier. Teresa et Ana María sont toutes deux des grands-mères et se définissent fièrement comme *piqueteras*. Comme les autres, elles parlent du besoin d'avoir des emplois et s'inquiètent de l'avenir des nouvelles générations.

Teresa et Ana María[60] : nous (12), travail (8), Argentine (7), gouvernement (4), aide (3), quartier (3), gamins (3), manger (3), compagnons (3), avenir (3), lutter (3), fierté (3), *piquetera* (3), piquets (barrages routiers) (3), police (3).

Le discours de Teresa est émotif, avec des allusions patriotiques et des références à la dilapidation des ressources naturelles :

> Je suis très fière d'être *piquetera*, je vais toujours me battre pour mon Argentine et pour l'avenir des enfants argentins, je suis grand-mère, ce serait [donc] pour l'avenir de mes petits-enfants [...]

> [...] je vais continuer avec le barrage routier jusqu'à ce que [les problèmes du] pays [soient réglés] et qu'aucun autre enfant ne quitte l'Argentine, parce qu'ici, en Argentine, il y a du travail. Ce qui arrive, c'est qu'ils ont tout vendu aux étrangers et maintenant ils ne savent pas comment arranger le pays. Et si ce n'est pas nous qui luttons, qui va nous aider, qui va nous défendre ?

Les propos d'Ana María renvoient surtout aux liens d'amitié, de solidarité et de confiance créés entre les voisins. Elle conçoit le mouvement des *piqueteros* comme le résultat d'une mobilisation de citoyens ordinaires qui se voient obligés de lutter, ce qui leur différencie des militants des mouvements politiques impulsés par l'idéologie ou le charisme d'un leader :

---

60. En espagnol : *nosotros, trabajo, argentina, gobierno, ayuda, barrio, chicos, comer, compañeros, futuro, luchar, orgullo, piquetera, piquetes, policía.*

[...] je suis venue ici à cause du besoin qu'a tout le monde, tous ceux qui n'ont pas de travail [...] quand je suis venue ici, on m'a beaucoup aidé [...] ici les gens sont très, très solidaires, ils s'aident les uns les autres [...] je suis très heureuse parce que j'ai trouvé des amis, parce que c'est ça les *piqueteros*, tous unis [...]

[...] quand ils ont appelé le monde, ils n'ont pas dit, je te promets ceci, je te promets cela ; ce qu'ils ont vraiment dit, c'est que nous devons tous lutter, car si nous ne sortons pas tous pour nous battre, la vérité est que nous n'aurons rien ; ils ne vont même pas nous écouter, [...] et c'est ainsi que tout a commencé, car les gens ont commencé à venir, les chômeurs, chacun à dire quels étaient ses problèmes et c'est ça le début des *piqueteros*.

Raúl et Néstor sont délégués des plus grands et plus pauvres bidonvilles de Rosario. Leur discours est centré sur les besoins des gens — particulièrement la nourriture —, sur leurs enfants et leurs familles et sur les barrages routiers. Mais ils parlent aussi de leurs sentiments, de leurs aspirations et de leurs craintes.

Raúl[61] : gens (20), besoin (14), pays (8), gamins (8), populaire (7), manger (7), piquet (barrage routier) (7), besoins (6), maison (6), faim (5), rue (5), enfants (5), père (5), centre (5), nourriture (5), avenir (5), étudier (5), communautaire (5), inquiétudes (5), incertitude (5).

Néstor[62] : gens (32), travail (24), manger (15), quartier (12), gamins (12), nourriture (9), nous (9), enfants (7), rue (6), voler (6), heurte (5), femmes (5), besoin (5), nuit (5), mangent (4), école (4), pesos (4), gosses (4), protester (4), vie (4).

Par exemple, Néstor réfère à la rage et à l'orgueil ressentis par ceux qui sortent dans les rues pour manifester. Ils veulent qu'on les écoute, que la société prenne acte de leur existence, et les barrages routiers constituent la manière la plus efficace de l'accomplir :

C'est ça la rage qu'ont les gens qui ont des besoins [...] les choses, il faut sortir pour aller les chercher ; de nos jours, il faut se battre pour les

---

61. En espagnol : *gente, necesidad, país, chicos, popular, comer, piquete, necesidades, casa, hambre, calle, hijos, padre, centro, comida, futuro, estudiar, comunitario, inquietudes, incertidumbre.*

62. En espagnol : *gente, trabajo, comer, barrio, chicos, comida, nosotros, hijos, calle, robar, duele, mujeres, necesidad, noche, comen, escuela, pesos, pibes, protestar, vida.*

choses, c'est pourquoi on fait les barrages routiers et les mobilisations, pour que les gens d'en haut nous écoutent [...] la seule façon qu'ils t'entendent, c'est que les gens sortent dans les rues pour protester [...] c'est pour ça que nous sommes *piqueteros*, nous sommes *piqueteros* par nécessité, car il y a des familles avec cinq ou six enfants et ils n'ont rien à leur donner à manger [...] je suis fier d'être *piquetero*, parce que moi aussi j'ai des enfants.

Néstor parle de la honte que ressentent les gens qui ont vu disparaître ce qui était un niveau de vie modeste, mais digne :

> [...] je travaillais et gagnais assez bien ; maintenant, eh bien, je gagne 100 pesos et ce n'est pas suffisant. J'ai dû arrêter d'envoyer mes enfants à l'école, parce qu'ils n'ont pas de chaussures, ils n'ont pas de vêtements [...] on ne peut pas envoyer les enfants pieds nus à l'école [...] on ne peut pas envoyer les enfants pour qu'ils aient honte. Ça suffit avec la honte que nous ressentons, nous les parents, de ne pas pouvoir acheter des chaussures à nos enfants et de ne pas pouvoir leur donner à manger.

Raúl évoque également la dégradation de leurs conditions de vie et réfère aux gestes désespérés faits par ceux qui n'ont plus rien à perdre :

> Je n'ai jamais vécu quelque chose comme ça ; disons que ma génération, quand j'avais cet âge, entre 18 et 25 ans, nous travaillions tous ; et maintenant nos enfants subissent ce besoin et ils veulent aller violer la loi pour nous donner quelque chose à manger ou pour soutenir leurs frères [...] c'est une réalité que l'on vit ainsi : celui qui ne va pas voler ou qui ne va pas demander, n'obtient rien et ne mange pas à midi.

Il parle aussi de la participation et du fait que les gens se joignent au mouvement pour des raisons qui leur sont propres :

> Ici, il n'y a pas beaucoup d'organisation, ici on dit, allons quelque part, et tout le monde qui veut participer, qui sent le besoin de participer, participe automatiquement [...] il participe parce qu'il va se battre pour ce qui lui revient, non pas pour les autres, c'est-à-dire nous luttons tous pour tous, n'est-ce pas, mais surtout celui qui participe à un barrage routier le fait pour lui exclusivement.

La dernière entrevue est celle avec Carlos. Il était au début réticent à parler et la conversation fut très brève[63]. Voici les mots clés de son discours :

---

63. En fait, Carlos s'est joint à une conversation qui était déjà en cours avec Nora.

Carlos[64] : travail (13), cours (9), maison (7), personnes (7), veiller (6), chercher (5), gamins (5), nous (5), livres (3), père (3), tâche (3).

Carlos est un homme d'âge moyen qui a perdu son emploi. Son épouse l'a quitté, en amenant avec elle leurs enfants : « il est arrivé un moment où je n'ai plus apporté [de l'argent] et alors nous avons fini par nous séparer ». Il est l'exemple de la transition d'une situation « normale » de classe moyenne inférieure vers une situation de marginalité sociale : « j'avais la famille, la maison, le travail, puis j'ai commencé à tout perdre, une chose après l'autre, et maintenant je me trouve à ne rien avoir ». Il a joint le Centre communautaire comme bénévole et, ensuite, comme enseignant dans la garderie. Carlos a suivi plusieurs cours d'aide à la recherche d'emploi et de soins de personnes âgées. Il valorise la lecture et l'éducation. Il n'est pas un militant et ne parle pas de politique : « j'avais un travail très stable, alors je n'ai jamais pensé que ça pouvait changer [...] ce que je pensais, c'était, ici je prends ma retraite, j'y ai passé la moitié de ma vie ». Il appartient au mouvement *piquetero* parce que celui-ci lui a donné une structure, de l'estime de soi et de l'espoir : « tu vois clairement que le bateau est en train de couler lentement, l'eau est déjà là et tu dis, qu'est-ce que je fais maintenant ? Eh bien, tu te dis qu'il faut se mettre à ramer. »

L'analyse de ces entrevues nous offre un portrait sommaire mais fort suggestif de la manière dont les *piqueteros* vivent leur engagement. Les listes des mots clés montrent que les thèmes communs sont le travail, la nourriture, les enfants, la famille, la maison et le quartier. Il y a clairement une identification avec le mouvement, comme le révèle l'usage récurrent des termes « nous » et « notre », ainsi que « compagnons », une expression fortement associée à l'expérience péroniste, mais qui est devenue un marqueur identitaire des mouvements populaires. La référence aux « gens » est d'ailleurs caractéristique d'un discours relativement dépolitisé. En fait, on observe très peu de mots chargés de signification idéologique et même le plus militant des interviewés fait rarement appel à la rhétorique politique lorsqu'il décrit les barrages routiers et même les affrontements entre la police et les mani-

---

64.   En espagnol : *trabajo, curso, casa, personas, cuidar, buscar, chicos, nosotros, libros, padre, tarea.*

festants. D'autres ont recours à des images patriotiques pour parler des maux du pays, mais personne n'emploie un vocabulaire ouvertement nationaliste, populiste ou révolutionnaire. Plusieurs termes qui reviennent dans leurs discours, tels « inquiétudes », « avenir », « humain », « heurte », « vie », « besoins », « fierté », « survivre » et « incertitude », témoignent d'une perspective subjective, un lien direct entre la participation dans le mouvement et l'expérience personnelle.

Les *piqueteros* interviewés reviennent tous sur le besoin de se battre pour soi-même : « si nous ne luttons pas, qui va nous aider ? » ; « si je ne fais rien, ma famille va disparaître » ; « il participe parce qu'il va se battre pour ce qui lui revient » ; « tu te sens inutile comme être humain et tu tentes de changer ça ». Il n'y pas de dogme idéologique à suivre ou de programme stratégique à adopter : « n'importe qui peut devenir *piquetero* » ; « ceux qui participent ici ont leurs propres idées politiques et religion ». Un des motifs pour se mobiliser est le sentiment de désespoir, de honte et de rage, mais il y a aussi le sens de l'espérance, la fierté et le devoir : « c'est pour l'avenir de mes petits-enfants » ; « une nouvelle patrie est en train de naître » ; « nous sommes responsables de générer un tas d'espoirs » ; « je suis très fière d'être *piquetera* » ; « nous sommes *piqueteros* par nécessité ». L'action collective vise à « gagner leur respect », à « nous faire entendre », à « réclamer les droits qui nous reviennent ». Mais peut-être la phrase qui résume le mieux la raison d'être du mouvement *piquetero* en est une prononcée par Norma : « Le rêve de tout le monde, c'est d'avoir un salaire et de pouvoir vivre comme n'importe quel autre citoyen. »

La sortie du populisme ?

Les *piqueteros* argentins, comme les zapatistes mexicains et les sans-terre brésiliens, témoignent d'une quête d'inclusion et de reconnaissance. Les identités de ces acteurs sont plus fluides, plus pragmatiques et plus proches de l'expérience subjective. Ils se définissent en dehors du système politique, sans pour autant mettre en question les institutions fondamentales de la démocratie. Ils privilégient la négociation sur la confrontation et la violence, même si le recours à la force est envisagé en dernière instance. Ces mouvements investissent dans la création de réseaux transversaux dans la société civile (même sur le plan international) et accordent une grande importance à l'éducation civique de leurs membres, ainsi qu'à la mise en place de mécanismes de participation. C'est pourquoi il est possible de les définir comme « mouvements citoyens », en ce qu'ils cherchent la reconnaissance d'un statut primordial, celui d'ayant-droit. Outre leurs accomplissements concrets, ces mouvements sont en train de contribuer à une prise de conscience citoyenne qui aura certainement des effets sur la manière dont la démocratie évoluera en Amérique latine dans les prochaines années.

Les barrages routiers créent une perturbation — réelle et symbolique — dans le fonctionnement du marché et représente une sorte d'appropriation de l'espace public par ceux qui sont exclus de la citoyenneté. La quête d'une visibilité maximale, y compris par le biais de tactiques qui visent à attirer l'attention des médias, correspond à une nouvelle modalité de contestation de l'ordre établi. Cet ordre est mis en question par des gestes qui cherchent à susciter la sympathie de l'opinion publique, ce qui a pour effet de paralyser l'action corrective ou répressive des institutions. Au-delà des revendications concrètes, le mouvement de protestation est en soi une demande d'inclusion :

> [...] les processus de négociation avec les *piqueteros* [...] commencent par une reconnaissance de leur citoyenneté oubliée, partent de la constitution fragile d'une espace public où le fait d'être vu implique la communication avec les mondes de la superficie sociale et sa normativité[65].

Les gestes de désobéissance civile font partie d'une praxis qui est en train de se répandre dans plusieurs pays du continent. Un aspect névralgique de ce type de mouvement réside dans la volonté d'articulation entre la lutte sociale et la mise sur pied de mécanismes concrets et efficaces d'entraide au niveau communautaire

La *Coordinadora Aníbal Verón* est, en ce sens, un cas fort intéressant. La *Coordinadora* regroupe une dizaine de *Movimientos de*

---

65.   Adrián Scribano, « Argentina "cortada" : cortes de ruta y visibilidad social en el contexto del ajuste », dans Margarita López Maya (dir.), *Lucha Popular, Demcracia, Neoliberalismo : Protesta Popular en América Latina en los Años de Ajuste*, Caracas, Nueva Sociedad, 1999, p. 69.

Trabajadores Desocupados[66] (MTD) basés sur plusieurs quartiers de la région métropolitaine de Buenos Aires. Chaque MTD est autonome et fonctionne selon ses propres règlements et orientations. Bien qu'ils collaborent avec d'autres organisations, les membres des MTD renoncent à toute appartenance partisane, syndicale ou religieuse. Ils font partie des *piqueteros* « radicalisés » et prônent une ligne dure envers le gouvernement. Ils pratiquent une forme de démocratie directe et gèrent collectivement les subsides d'assurance-chômage. Par exemple, le MTD de Solano[67] (un quartier de Quilmes, une banlieue de Buenos Aires) organise les familles en groupes de dix et crée pour chaque groupe un système de redistribution égalitaire : chaque famille contribue avec une partie de son subside — dont le montant est fixe, indépendamment du nombre d'enfants — et ce fonds commun sert à acheter de la nourriture pour tous. Ainsi, tous les membres du groupe ont droit à la même alimentation[68]. Ces *piqueteros* critiquent fortement le programme des subsides, qu'ils voient comme un instrument étatique de clientélisme et de contrôle social, et cherchent à « s'en approprier la signification et l'utiliser pour élargir la portée de leurs luttes[69] ».

On peut certes se méfier de ce type de projet. Au-delà des bonnes intentions, ne crée-t-on pas ainsi un nouveau « assistentialisme » ou, pire encore, un régime de récompenses monétaires pour les « bons » militants du mouvement ? (Car un membre qui n'est pas suffisamment présent dans les activités collectives peut se voir enlever son subside par un vote de l'assemblée.) Une partie considérable de l'opinion publique — notamment les secteurs conservateurs de la classe moyenne — voit, en effet, dans ces groupes de *piqueteros* « des marginaux qui protestent pour obtenir une quelconque aide de l'État » ou bien « des pauvres

---

66. Mouvements de travailleurs au chômage.
67. Il est intéressant de signaler que le MTD de Solano est né dans une paroisse, avec l'aide de plusieurs prêtres (et contre la volonté de l'évêque).
68. Alberto Spagnolo, « La crisis institucional en la Argentina y los movimientos sociales », communication présentée à la Hemispheric Civil Society Conference, Université McGill, 2003.
69. *Id.*

qui se lient à des secteurs corrompus de l'appareil politique afin d'obtenir l'aumône »[70].

Sans adopter cette vision trop réductionniste, mais en évitant aussi de tomber dans le piège d'une idéalisation du mouvement, on peut observer les signes d'un véritable changement culturel. Il s'agit de l'émergence d'une nouvelle « vie associative » à travers des activités qui vont du maintien de réseaux de troc et de recyclage de vêtements au financement d'initiatives locales de création d'emploi et de production artisanale à vocation communautaire (par exemple, des boulangeries qui vendent le pain aux membres du mouvement à un prix préférentiel ; des potagers communs développés sur des terrains inoccupés).

Ce n'est pas trivial si les *piqueteros* attribuent une importance particulière à l'« horizontalité » des rapports au sein du mouvement. Comme le dit un militant : « dans le MTD il n'existe pas de postes hiérarchiques, il n'y a pas de présidents, ni secrétaires généraux, etc., [mais] des coordonnateurs de tâches. Dans le MTD nous avons tous les mêmes droits et obligations, personne n'est au-dessus de personne[71]. » Même si l'on est sceptique quant à la possibilité de réaliser cette horizontalité, il n'en demeure pas moins que ce discours exprime une rupture remarquable par rapport aux expériences passées de la mobilisation populaire. Rappelons que les valeurs fondamentales du populisme avaient été la loyauté, le « verticalisme » et l'attachement aux « vérités péronistes ». Le code populiste, non plus que la pensée de la gauche révolutionnaire, n'avait jamais véritablement posé l'action collective comme le résultat d'un projet ouvert, soumis au débat de tous et chacun. En revanche, les MTD déclarent comme valeurs principales : la solidarité (« voir le besoin de l'autre comme si c'était le nôtre »), l'engagement (« se sentir protagonistes à l'heure de résoudre les problèmes de tous »), l'honnêteté (« tout avantage individuel que nous tirons d'un bénéfice commun est un dommage que nous portons à ceux qui sont à côté de nous »), la joie (« le travail communautaire [...] éloigne la concurrence et la spéculation et nous fait sentir utiles »)

---

70. Ángel Jozami, *Argentina. La destrucción de una nación*, Buenos Aires, Mondadori, 2003, p. 84.
71. Cité dans Hernán López Echagüe, *op. cit.*, p. 14.

et la liberté (« personne ne libère personne, personne ne se libère seul, nous nous libérons tous en communauté »)[72].

Le populisme avait été, à plusieurs égards, un vecteur d'émancipation et d'inclusion des classes populaires en Argentine et ailleurs en Amérique latine. Pourtant, il a été, en même temps, un formidable carcan pour l'action collective, surtout depuis que les grands « récits » comme le nationalisme ont perdu leur emprise sur la société. L'usage du code populiste dans le but d'imposer un modèle d'exclusion sociale durant les années 1990 fut la démonstration ultime des dangers qu'implique une culture politique qui étouffe l'autonomie des acteurs. L'émergence de la figure du *piquetero* est, en soi, un phénomène majeur. Il personnifie, surtout à l'origine, le simple citoyen qui se lève pour protester. On pourra certes critiquer plus tard la « politisation », la « radicalisation », l'« institutionnalisation » du mouvement. L'Argentine avait connu, bien évidemment, d'autres moments de mobilisation, voire de résistance contre la domination. Mais la généralisation de l'idée que l'« on a des droits » et que la légitimité de cette prémisse fondamentale dépasse celle de la légalité de l'ordre établi équivaut à une véritable révolution dans les mentalités. Nous devons insister sur ce point : historiquement, le péronisme prôna et promulgua des « droits sociaux », particulièrement ceux du travailleur ; la gauche modérée appela à la réalisation des idéaux républicains ; la gauche radicalisée convoqua à une lutte de classes au nom des opprimés. Il ne faut pas minimiser l'apport de chacun de ces courants à la longue lutte pour l'inclusion. Pourtant, jamais leurs discours respectifs ne mirent en relief la capacité des citoyens — tous, c'est-à-dire les hommes, les femmes, les jeunes, les vieillards, les travailleurs, les chômeurs, les fermiers, les étudiants, etc. — à changer la société par en bas, à commencer par leur communauté locale et leur propre vécu, en dehors des institutions et des idéologies.

---

72.   « Nuestra política para construir un presente y un futuro con Trabajo, Dignidad y Cambio Social. Acuerdos elaborados colectivamente por los Movimientos de Trabajadores Desocupados de Lanús, Darío Santillán de Alte. Brown, San Telmo y Lugano de Capital Federal, Berisso, y Oscar Barrios de José C. Paz, integrantes del Movimiento de Trabajadores Desocupados Aníbal Verón », juin 2003.

5
Chapitre

La rébellion des « gens ordinaires »

Le 20 décembre 2001, des dizaines de milliers d'Argentins sont descendus dans les rues des grandes villes du pays, en frappant bruyamment sur des casseroles pour exprimer leur indignation et leur ras-le-bol face au gouvernement. Ces manifestants, qui défiaient l'état de siège décrété à la suite des émeutes de la faim et des pillages qui avaient secoué l'Argentine les jours précédents, protestaient contre le « corralito » (le « petit enclos » bloquant les comptes bancaires) et, plus fondamentalement, contre l'arrogance, la corruption et l'ineptie des politiciens. Leur mot d'ordre était : « ¡ *Que se vayan todos !* » (« Qu'ils s'en aillent tous ! »). Les *cacerolazos* (casserolades), quoique spontanés et généralement pacifiques, se sont avérés un moyen de contestation citoyenne extrêmement puissant, si bien qu'ils ont été un facteur décisif dans la chute du gouvernement de l'*Alianza*. Dans les semaines et le mois qui ont suivi la démission du président Fernando de la Rúa, les voisins mobilisés de Buenos Aires ont formé plus de 270 *asambleas barriales* (assemblées de quartier), habituellement tenues dans des parcs publics, afin d'organiser des réseaux locaux d'entraide et d'assistance sociale. Entre janvier et mai 2002, on a pu compter 11 000 actes de protestation à l'échelle du pays, auxquels ont participé plus de 600 000 personnes[1].

---

1. Données tirées d'un rapport du Secrétariat de la Sécurité intérieure du gouvernement argentin (*Clarín*, 18 juin 2002).

La crise argentine est de nature économique d'abord. Ses causes sont diverses, autant structurelles que conjoncturelles : une décennie d'ajustement économique aux coûts sociaux fort considérables sous l'administration de Carlos Menem (1989-1999), une récession qui durait depuis 1998, des négociations infructueuses avec le FMI au sujet de la dette extérieure et le refus des États-Unis de venir au secours de l'Argentine, l'augmentation effrénée du « risque-pays » (qui indique l'intérêt que l'État doit payer en plus du taux du Trésor américain), la mort appréhendée de la « convertibilité » (la parité fixée du peso avec le dollar, en vigueur depuis 1991) et, l'étincelle qui a mis le feu aux poudres, la restriction de l'accès aux épargnes établie par le gouvernement afin d'éviter l'écroulement du système financier[2]. Mais ce qui fait de l'Argentine un cas singulier dans la série de crises des « économies émergentes » (Mexique, Asie de l'Est, Russie, Brésil), c'est la vigueur et l'étendue de la réponse des citoyens. Cette réponse s'est surtout structurée autour de ce que l'on peut appeler, suivant Pierre Rosanvallon, « le sentiment de mal représentation politique[3] ». Certains observateurs ont cru discerner dans la révolte des Argentins la fin d'une ère de résignation face aux réformes néolibérales, la contestation de la « pensée unique », de la « dictature des marchés » et de la confiscation du pouvoir par les élus.

Bien que cette vision s'appuie sur une idéalisation excessive des acteurs et de leurs motivations pour agir (sans parler du caractère simplificateur d'une telle lecture de la mondialisation), il y a lieu effectivement de s'interroger sur cet éveil soudain de la société civile en Argentine. Mais il ne faut pas oublier que la mobilisation populaire faisait partie du paysage social depuis plusieurs années. Le mouvement des *piqueteros*, qui avait surgi dans les provinces en 1997, était devenu en 2001 une force sociale incontournable, en marge des partis et des centrales syndicales. D'autres expressions du mécontentement populaire visaient de façon encore plus directe la classe politique.

---

2. Voir entre autres James E. Mahon Jr. et Javier Corrales, « Pegged for Failure ? Argentina's Crisis », *Current History*, février 2002, p. 72-75 ; David Rock, « Racking Argentina », *New Left Review*, n° 17, septembre-octobre 2002, p. 55-86.
3. Pierre Rosanvallon, *Le peuple introuvable*, Paris, Gallimard, 1998, p. 416.

Pensons, par exemple, au phénomène du *voto bronca* (« vote de la rage ») contre l'ensemble des partis, le choix de près de 4 millions d'électeurs en octobre 2000[4]. Un autre geste contestataire devenu de plus en plus courant, l'*escrache* (dénonciation), consiste à honnir certains hommes politiques, en les accusant publiquement devant leur maison[5]. C'est en ce sens que plusieurs analystes ont souligné l'existence d'une crise de représentation politique — ressentie par l'ensemble de la population mais qui a surtout affecté la classe moyenne — à l'origine de l'effondrement socio-économique de l'Argentine. C'est le point de vue du sociologue Juan Carlos Portantiero :

> [Quels sont les phénomènes les plus inédits de ce moment ?] Surtout, la désobéissance civile de la classe moyenne. Jamais on n'a vu ce degré de mobilisation, d'abord si spontanée et peut-être pas tellement maintenant. Et ce qui est aussi inédit, c'est la coupure quasi totale des rapports entre politique et citoyenneté[6].

Nous nous intéressons aux deux phénomènes inédits auxquels réfère Portantiero, ainsi qu'à leur interrelation. La coupure entre la politique et la citoyenneté correspond à une panne de la représentation dans le double sens du terme : la représentation-mandat (le principe de médiation entre l'État et les citoyens) et la représentation-figuration (la production d'une image de la totalité sociale, dans laquelle les citoyens se reconnaissent). Les Argentins ne se sentent plus représentés par leurs leaders, ils considèrent que le pacte entre le peuple et ses dirigeants a été rompu. Mais cette rupture est aussi associée à un écart grandissant entre le « monde commun » des identifications et des solidarités sociales et le « monde vécu » où les individus construisent le sens de leur existence. Oscar Landi voit dans la protestation le symptôme d'un « séisme subjectif », d'une « fragmentation extraordinaire de la société », d'une « grande crise des identités collectives »[7]. La mobilisation de la

---

4.   Le citoyen annule son vote en inscrivant quelques mots sur le bulletin ou en le remplaçant par un tract, une photo, une coupure de journal, etc.

5.   Susana Kaiser, « *Escraches* : demonstrations, communication and political memory in post-dictatorial Argentina », *Media, Culture & Society*, vol. 24, 2002, p. 499-516.

6.   Juan Carlos Portantiero, entrevue réalisée par Jorge Halperín, *3 Puntos*, n° 239, 24 janvier 2002.

7.   Oscar Landi, entrevue, *La Nación*, 27 janvier 2002.

classe moyenne doit être examinée à la lumière de cette problématique. C'est pourquoi nous avancerons l'hypothèse que beaucoup d'Argentins de classe moyenne se sentent trahis par les politiciens, mais que leur colère émane aussi d'un malaise plus profond : c'est une certaine image d'eux-mêmes et de l'Argentine qui a été radicalement mise en cause.

Représentation politique et représentations de la politique

La plupart des observateurs s'accordent pour affirmer qu'à la base du marasme argentine, il y a une crise de la représentation politique[8]. Pierre Rosanvallon écrit que la représentation démocratique est intrinsèquement problématique : l'électeur aspire à s'identifier au représentant, mais il attend aussi du vote qu'il désigne une personne qualifiée. Cette tension entre deux principes contradictoires — ressembler au peuple et s'en distinguer par la vertu — est à la base de certaines ambivalences du discours contemporain au sujet du politicien : il doit être un « banal gérant-mandataire », ainsi qu'une incarnation de l'éthique et du civisme. Dans le cas argentin, la focalisation de la rage citoyenne sur la figure du politicien — et, par extension, sur tout individu investi d'autorité publique ou d'influence sur la vie collective — révèle le sentiment d'avoir été trahi sur les deux plans. Les excès de l'administration de Menem ont été tolérés par l'opinion publique tant que l'économie donnait des signes encourageants. L'inefficacité du gouvernement de De la Rúa, dont la probité était hors de doute, a été initialement endurée par une population agacée par les scandales des années précédentes. Tout se passe comme si le contrat passé entre gouvernants et gouvernés a été brisé en 2001.

Plusieurs analystes partagent l'idée que la faillite institutionnelle est liée à une perte de légitimité des élites censées représenter l'intérêt général. Alain Touraine, entre autres, affirme que l'Argentine a été

---

8.   Il existe encore très peu d'études systématiques sur la crise argentine. C'est pourquoi, dans cette section, nous nous servons surtout d'entrevues et d'articles d'opinion publiés dans des journaux, de magazines d'actualité et de revues culturelles. Cependant, tous les auteurs cités sont des universitaires et des intellectuels reconnus.

victime d'un éclatement total de son système politique, devenu le centre de la corruption et incapable d'accomplir ses fonctions essentielles[9]. Isidoro Cheresky signale lui aussi que la crise de la représentation politique est l'aspect le plus visible de cette « banqueroute[10] ». Dans une perspective plus optimiste, il croit que cette crise découle non seulement du discrédit des politiciens, mais aussi de l'expansion d'une citoyenneté indépendante qui s'est détachée progressivement du système politique. Sous cet angle, la société mobilisée de 2001 doit être vue dans la continuité des transformations fondamentales suscitées par la transition démocratique de 1983. Nous serions en train d'assister, alors, à une extraordinaire ampliation de l'espace public, puisque la protestation ne fait pas appel à un régime politique alternatif. Selon Cheresky :

> On met en cause la représentation politique, mais non pas son principe, ni l'essentiel de ses dispositifs. En définitive, on affirme une vocation d'autonomie que les mouvements sociaux traditionnels du passé, encadrés par un leadership personnel, n'avaient pas, et l'on ouvre une capacité de questionnement et de régulation de la mobilisation sociale[11].

Francisco Naishtat soutient lui aussi que la responsabilisation de la classe politique n'a pas nécessairement une portée antidémocratique, car elle ne vise pas à susciter une réponse de type autoritaire. Elle constitue, au contraire, la dénonciation d'une structure de pouvoir marquée par le décalage entre la « politique réelle » et le « monde réel ». Naishtat relève, en effet, le paradoxe d'une opposition entre deux réalismes, celui des dirigeants — un réalisme conformiste, opportuniste et cynique — et celui des gens, avec leurs besoins concrets. Bien que très hétérogènes, les mobilisations confluent dans une demande de redéfinition de la citoyenneté[12]. La crise de décembre 2001 exprime, en ce sens, la crise de légitimité du pouvoir, face à laquelle les Argentins sont en train d'explorer de nouvelles formules de participation démocra-

---

9. Alain Touraine, *Clarín*, 13 janvier 2002.
10. Isidoro Cheresky, « La bancarrota », *La Ciudad Futura*, 5 mars 2002.
11. *Id.*
12. Francisco Naishtat, « El efecto tango o 'es la política, idiota' », *Lo que Vendrá* (Revista de la Carrera de Ciencia Política de la Universidad de Buenos Aires), 2002.

tique. C'est aussi l'avis d'Oscar Oszlak qui réfère au blocage du système politique :

> L'expérience argentine montre que les divers gouvernements n'ont pas prêté l'oreille à la société. Nous avons eu une démocratie de type délégataire, où le citoyen vote de temps en temps et de cette manière fait connaître ses préférences, incarnées dans une formule électorale donnée. En ce moment, la société a trouvé d'autres formes pour faire entendre sa voix[13].

Juan Carlos Portantiero signale que les sondages montrent une valorisation croissante de la démocratie et une dévalorisation du rôle des partis politiques, notamment si l'on compare les périodes avant et après les événements de décembre 2001. Ainsi, en octobre, 60 % des répondants opinaient que l'on ne peut pas parler de démocratie sans partis politiques ; ce chiffre tombait à 47 % en février 2002. Par ailleurs, dans ce dernier sondage, 20 % des répondants disaient avoir participé à une assemblée de voisins ou à une marche de protestation durant les deux mois précédents[14]. Il ne semble donc pas y avoir contradiction entre la mobilisation sociale et la démocratie. José Nun suggère, en fait, que les nouvelles formes d'expression citoyenne peuvent s'avérer complémentaires aux modalités politiques conventionnelles :

> Il y a différents niveaux d'action. Entre l'organisation populaire, les formes de démocratie directe que représentent les assemblées de quartier, les *piqueteros* et d'autres manifestations similaires, il n'y a pas d'incompatibilité de principe, ni de fait, avec la démocratie représentative à d'autres niveaux[15].

Selon Portantiero, la rébellion de la classe moyenne s'explique par leur frustration face à « une rupture entre ce que l'on attend de la politique et ce que la politique peut effectivement faire ». Alors que les pauvres n'ont pas d'attentes par rapport à ce dont ils n'ont jamais joui, la classe moyenne a vu son statut menacé et ses aspirations déçues. Le climat de protestation sociale avait été alimenté par les actions des *piqueteros* et d'autres groupes défavorisés ou mécontents, mais c'est

---

13. Oscar Oszlak, entrevue, *Pagina 12*, 31 janvier 2003.
14. Juan Carlos Portantiero, « Los desafíos de la democracia », *TodaVÍA* (Fundación OSDE), septembre 2002.
15. José Nun, entrevue, *Clarín*, 26 janvier 2003.

lorsque la classe moyenne commence à se mobiliser en raison de la perte de ses acquis que l'on peut parler d'un tournant majeur dans la dynamique collective[16]. Certains intellectuels, comme Nicolás Casullo, établissent même un parallèle avec le rôle décisif que la société civile a joué dans la chute des régimes communistes :

> La situation [du 19 et du 20 décembre] a été semblable à ce qui s'est passé dans certains pays d'Europe de l'Est en 1989. Soudainement, on a découvert qu'il n'y avait pas de pouvoir, qu'il y avait un vide de pouvoir, qu'on n'avait qu'à tirer sur une ficelle pour que tout s'écroule[17].

Bref, les Argentins — la classe moyenne en particulier — se seraient élevés contre un système politique corrompu, inefficace et distant, sans pour autant mettre en question le régime démocratique. En fait, la mobilisation de la société civile témoignerait de la quête d'un renouvellement de la citoyenneté. Or cette lecture doit être nuancée. Certains s'empressent de voir dans la réaction populaire une rupture vis-à-vis d'un paradigme de domination qui n'avait pas été ébranlé par l'avènement de la démocratie. Par exemple, Atilio Boron considère que la chute du président de la Rúa symbolise la fin d'un cycle d'hégémonie néolibérale dans la vie publique argentine, un cycle qui aurait duré un quart de siècle, depuis les derniers jours du gouvernement péroniste de 1973-1974[18]. À l'opposé de ce type d'interprétation qui radicalise le clivage entre gouvernants et gouvernés, des politologues comme Marcos Novaro accordent une importance capitale à la trame de discours et de représentations qui sous-tend la vie collective en Argentine :

> La crise actuelle [...] est la preuve d'un échec [...] non pas de la mondialisation, du néolibéralisme, du système de partis ou de la convertibilité, mais un échec beaucoup plus complexe et qui concerne, dans une large mesure, les mythes, les récits et les identités avec lesquels les citoyens de ce pays ont vécu depuis plusieurs décennies[19]...

---

16. Juan Carlos Portantiero, entrevue réalisée par Jorge Halperín, *3 Puntos*, n° 239, 24 janvier 2002.
17. Nicolás Casullo, entrevue, *La Primera*, 22 décembre 2001.
18. Atilio Boron, « Requiem para el neoliberalismo », *La Jornada* (Mexique), 23 décembre 2001.
19. Marcos Novaro, « Entre lo delirante y lo contradictorio », *La Nación*, 3 mars 2002.

C'est en ce sens qu'il faut aussi se pencher sur la façon dont la société « se pense ». Comme le dit Carlos Altamirano, l'autoritarisme d'avant 1983 est, pour beaucoup d'Argentins, le résultat de l'action d'un groupe qui a utilisé les militaires à ses propres fins, plutôt qu'un problème de la société dans son ensemble. Cela correspond à l'image d'une société toujours opprimée par une minorité, ce qui tend à produire une auto-représentation collective plus positive que ce que l'histoire du pays révèle. Emilio de Ipola suggère qu'il existe, en effet, « une certaine tendance de la société à se victimiser », une prédisposition à penser que « c'est toujours la faute à quelqu'un d'autre[20] ». L'émergence d'un discours antipolitique durant les années 1980, surtout mis de l'avant par un journalisme qui se faisait l'écho des perspectives conservatrices de Reagan et Thatcher, a déclenché le processus de stigmatisation du politicien « étatisant ». D'après Altamirano, l'homme politique apparaît alors comme celui qui empêche Madame et Monsieur Tout-le-monde, les « gens ordinaires » d'exercer leur liberté (surtout économique)[21]. Le menemisme exploitera ce thème, en même temps qu'il suscitera une « vague formidable de concurrence interindividuelle et, donc, d'individualisme utilitaire », renforçant ainsi le sentiment du citoyen laissé pour compte[22]. Durant les années 1990 se consolide l'argument de « l'État mafieux » pour expliquer tous les problèmes du pays[23].

Rappelons que l'Argentine est le seul pays en Occident qui a parcouru le chemin inverse du développement. Comme nous l'avons dit au premier chapitre, le caractère improbable de la réalité vécue a souvent poussé les Argentins à se lancer dans une quête de coupables et à s'accrocher à la croyance dans le potentiel extraordinaire du pays[24]. Ce fantasme argentin est tellement puissant que le nouveau paysage

20. Emilio de Ipola, « Debate », *La Ciudad Futura*, n° 51, août 2002.
21. Carlos Altamirano, « ¡ Que se vayan todos ! », *La Ciudad Futura*, n° 51, août 2002.
22. Emilio de Ipola, *La Ciudad Futura*, n° 51, août 2002.
23. Edgardo Mocca, « El coro de la antipolítica favorece la aparición de soluciones autoritarias », *La Ciudad Futura*, n° 51, août 2002.
24. Voir Victor Armony, « L'expérience argentine des rapports entre l'économie, la société et l'État », dans Michel Fortier (dir.), *L'Éthique dans les démocraties libérales : État, économie, société civile*, Montréal, Guérin, 2003.

de la pauvreté n'est pas vu comme une réalité, mais « comme un accident transitoire dans lequel la majorité des Argentins sont innocents[25] ». Ironiquement, ces mécanismes d'auto-victimisation et de sur-compensation ont certainement contribué à l'échec national. Plusieurs Argentins se sont laissés séduire par les paroles grandiloquentes et les promesses invraisemblables des leaders qui ont su invoquer la pensée magique. Carlos Menem a fait preuve d'un talent particulier à cet égard : il a réussi à faire de la « convertibilité » le symbole d'un renou-veau national qui devait permettre à l'Argentine de reprendre « la place qui lui revient parmi les meilleurs pays du monde[26] ».

Nous avons dit que l'Argentine possède une « identité nationale dont la principale caractéristique est précisément son aspect brisé[27] ». Nous avancerons que cette brisure prend la forme idéologique d'une opposition entre un « nous » majoritaire et porteur des valeurs natio-nales et un « eux » minoritaire qui incarne les valeurs antithétiques (unité versus sectarisme, solidarité versus égoïsme, authenticité versus frivolité, etc.). Il est facile de retrouver dans le langage politique les traces d'une vision qui fait de l'existence de « groupes privilégiés » la cause de l'incapacité de l'Argentine à accomplir sa promesse. Il va de soi que, dans une société qui a longtemps été traversée par l'autorita-risme et l'inégalité, ce type de diagnostic n'est pas complètement erroné. Cependant, la forte récurrence de cette matrice explicative dans le discours des différents leaders au fil des ans a sûrement aidé à figer la représentation d'une société disloquée, où les élites sont vues comme extérieures à la définition de l'« argentinité » et responsables de sa déconfiture. L'écrivain Marcos Aguinis fait référence à ce besoin pro-fond de trouver un coupable aux malheurs collectifs quand il parle des

25.   Mariano Grondona, *La realidad. El despertar del sueño argentino*, Buenos Aires, Planeta, 2001, p. 208.

26.   Victor Armony, « "El país que nos merecemos" : mitos identitarios en el discurso político argentino », *deSignis* (Fédération latino-américaine de sémiotique), n° 2, 2002, p. 319-330.

27.   Diana Quattrocchi-Woisson, « Le rôle de l'histoire et de la littérature dans la construction des mythes fondateurs de la nationalité argentine », communica-tion présentée au colloque *Mythes fondateurs nationaux et citoyenneté*, Montréal, 7-8 novembre 1996.

foules qui ont attaqué les succursales des banques étrangères à Buenos
Aires croyant avoir finalement identifié « le véritable déprédateur du
pays[28] ». Comme nous pouvons le voir dans quelques citations ci-
dessous, Juan Perón dénonçait l'« oligarchie » qui exploite la « masse
du peuple » ; Raúl Alfonsín affirmait le « nous » démocratique face à
certaines « minorités » profiteuses et Carlos Menem a fait de l'État
bureaucratique et corrompu l'ennemi de la société :

> [...] un système politique exercé par les oligarques met en œuvre une
> politique économique qui favorise les deux cents familles privilégiées ;
> mais la politique péroniste se doit de mettre en œuvre une politique
> économique qui apporte du bien-être à toute la masse du peuple (Juan
> Perón, 1er mai 1949).

> [...] ce manque de confiance en nous-mêmes [...] a été le bouillon de
> culture dont les minorités avaient besoin [...] pour planifier notre
> naufrage, car elles voyaient dans la consolidation de la démocratie [...]
> la fin de leur privilèges (Raúl Alfonsín, 28 juin 1986).

> Un capitalisme qui ne soit plus associé avec l'État-protecteur (*Estado
> Benefactor*) — protecteur d'un petit nombre de privilégiés, [...] avec les
> entraves bureaucratiques, avec la relation malséante entre entrepreneurs
> et politiciens, avec le lobby du jour qui fabrique toujours une pression
> pour chaque privilège (Carlos Menem, 3 septembre 1990).

La crise de la représentation politique en Argentine s'inscrit bel
et bien dans cette tendance universelle de mise en cause de la représentation-mandat. Comme le souligne Dominique Schnapper, dans les
démocraties contemporaines, « les électeurs se disent inévitablement
mal représentés par les hommes politiques[29] ». Le thème de la corruption est très présent dans les débats publics en Amérique du Nord et
en Europe. La particularité du cas argentin réside certes dans l'ampleur
du phénomène : en 2002, *Transparency International* classait l'Argentine au 70e rang, sur 102 pays, juste après l'Ouzbékistan et avec un
indice inférieur à la moyenne africaine. La question demeure : pourquoi les Argentins — autant les secteurs populaires que la classe

---

28.   Marcos Aguinis, « En busca del enemigo que es preciso vencer », *La Nación*, 12
       janvier 2003.
29.   Dominique Schnapper, *La démocratie providentielle. Essai sur l'égalité contem-
       poraine*, Paris, Gallimard, 2002, p. 244.

moyenne — se sont-ils révoltés en décembre 2001 ? Comme nous l'avons déjà suggéré, nous croyons que la réponse doit tenir compte de l'autre dimension de la représentation en politique : la figuration de la totalité sociale, c'est-à-dire la manière dont les citoyens conçoivent la raison de l'« être-ensemble ».

Un discours de classe moyenne

Il est courant d'entendre que l'Argentine, à la différence de la plupart des autres pays de l'Amérique latine, est un pays de classe moyenne[30]. Le pays a connu des périodes de forte mobilité sociale — à la faveur de l'immigration massive et du processus d'urbanisation et d'industrialisation de la fin du XIXe et de la première moitié du XXe siècles — et l'appartenance à la classe moyenne est devenue une aspiration généralisée, ce qui explique sa forte prégnance comme principe d'identification sociale. Selon une recherche récente, faire partie de la classe moyenne veut dire, pour les Argentins, « avoir un emploi et un logement convenable, avoir été scolarisé[31] ». La célèbre étude de Gino Germani sur la structure sociale argentine montrait que les classes moyennes et supérieures représentaient 40 % de la population économiquement active en 1947[32]. Dans les années 1960, l'Argentine se démarquait par la proportion de sa population ayant accès à l'éducation : on comptait 10,9 étudiants par 1000 habitants, comparé à 10,4 en France, 6,3 en Allemagne de l'Ouest et 4,9 au Royaume-Uni[33]. Dans les années 1970, plus de 70 % des Argentins s'identifiaient à la classe

---

30. D'ailleurs, cela est devenu un lieu commun dans le discours journalistique. Le *New York Times* le rappelait encore récemment : « Il y a seulement quelques années celui-ci était un pays de classe moyenne, avec le revenu par habitant le plus élevé de l'Amérique latine » (Larry Rohter, « Once Secure, Argentines Now Lack Food and Hope », 2 mars 2003).

31. Ruth Sautu, *La gente sabe. Interpretaciones de la clase media acerca de la libertad, la igualdad, el éxito y la justicia*, Buenos Aires, Lumiere, 2001, p. 49.

32. Gino Germani, *Estructura social de la Argentina. Análisis estadístico*, Buenos Aires, Solar, 1987 [1955].

33. Carlos H. Waisman, « Civil Society, State Capacity, and the Conflicting "Logics" of Economic and Political Change », *Estudios Interdisciplinarios de América Latina y el Caribe*, vol. 13, n° 1, janvier-juin 2002.

moyenne[34]. Cela comprenait autant les membres « objectifs » de la classe moyenne, qu'une grande partie des salariés syndiqués qui avaient atteint un niveau de vie relativement élevé et stable grâce aux politiques de redistribution de l'État péroniste.

Selon le coefficient de Gini — qui mesure les inégalités dans la distribution du revenu —, l'Argentine était en 1980 la société la plus égalitaire en Amérique latine (elle-même, rappelons-le, la région la plus inégalitaire de la planète)[35]. Mais cette situation a commencé à changer depuis lors. Les deux dernières décennies du XXe siècle se sont caractérisées par l'inflation, la stagnation, la désindustrialisation, la précarisation de l'emploi et l'appauvrissement urbain. La réforme néolibérale appliquée par le gouvernement de Carlos Menem durant les années 1990 (déréglementation et privatisation des finances et des services publics, ouverture des marchés, réduction des politiques sociales, etc.) a eu des effets particulièrement dramatiques sur la structure socio-économique argentine, donnant lieu à une polarisation croissante entre les « gagnants » et les « perdants » dans la société mais aussi au sein de la classe moyenne[36]. Dans ce contexte, on voit surgir ce que l'on nommera « les nouveaux pauvres ». Alberto Minujín et Gabriel Kessler écrivaient en 1995, dans l'une des premières études systématiques du phénomène, que « la classe moyenne n'a pas disparu : une petite partie est demeurée à sa place sans rien perdre ; une autre partie, mince, a amélioré sa position et la grande majorité s'est appauvrie[37] ».

Afin d'observer le discours de la classe moyenne face à la crise, nous avons effectué une analyse des messages qui ont été envoyés en mai 2002 au journal *Clarín* en réponse à la question suivante : « Vous

---

34. Alberto Minujín et Gabriel Kessler, *La nueva pobreza*, Buenos Aires, Planeta, 1995.
35. Voir Bernardo Kliksberg, *Desigualdade na América Latina. O debate adiado*, São Paulo, Cortez/UNESCO, 2001, p. 35.
36. Maristella Svampa, « Las nuevas urbanizaciones privadas. Sociabilidad y socialización : la integración social "hacia arriba" », dans Luis Beccaria *et al.*, *Sociedad y Sociabilidad en la Argentina de los 90*, Buenos Aires, Biblos, 2002, p. 55-96.
37. Alberto Minujín et Gabriel Kessler, *op. cit.*, p. 21.

sentez-vous, malgré tout, fier d'être argentin ? Pourquoi[38] ? » L'implicite est évident : la crise de l'Argentine est tellement grave que certains mettront en cause leur attachement à la nation. Cet implicite peut surprendre dans un pays où la majorité de la population a fait montre d'une grande ferveur patriotique lors de la guerre des Malouines en 1982[39]. Il faut pourtant souligner que la passion des Argentins à l'égard de leur nationalité est ambivalente. Une abondante littérature — incluant de nombreuses œuvres de fiction et des essais — évoque le sentiment d'amour/haine que les citoyens entretiennent envers ce pays qui leur a tant promis et qui les a tant déçus[40]. Les longues files d'attente devant les ambassades européennes à Buenos Aires sont devenues l'image emblématique de la désillusion de la classe moyenne[41].

Notons que *Clarín* possède le plus grand tirage en Argentine, avec une moyenne de 2 millions de lecteurs par jour. Il est généralement considéré comme un média qui reflète l'opinion de la classe moyenne, se positionnant au centre de l'échiquier politique[42]. *Clarín* publie une version électronique du journal sur Internet depuis 1996. Son site est d'accès libre (incluant les archives) et reçoit habituellement plus d'un million de visites par jour. « *Clarín* digital » maintient des forums de discussion sur des sujets d'actualité ou des questions controversées, comme le font aujourd'hui la plupart des journaux.

---

38. En espagnol : « ¿ *Usted, a pesar de todo, se siente orgulloso de ser argentino ? ¿ Por qué ?* »

39. Rosana Guber, ¿ *Por qué Malvinas ? De la causa nacional a la guerra absurda*, Buenos Aires, Fondo de Cultura Económica, 2001.

40. Le dernier livre de Joaquín Morales Solá, journaliste et commentateur de l'actualité très connu, porte le titre *Le rêve éternel* (*El Sueño Eterno*, Buenos Aires, Planeta, 2000), évoquant le « rêve argentin de dépassement, toujours frustré ».

41. Larry Rohter, « Argentines Line Up to Escape to the Old World », *The New York Times*, 16 janvier 2002.

42. Son lectorat se distribue de la façon suivante : 20 % de classe supérieure ou moyenne-supérieure, 45 % de classe moyenne et moyenne-inférieure et 35 % de classe inférieure (comparativement à 45 %, 38 % et 17 %, respectivement, pour le journal *La Nación*, son principal concurrent). Ces données ont été tirées d'une étude effectuée par EGM, entre septembre 2000 et août 2001, à Buenos Aires et ses banlieues, Mar del Plata, Mendoza, Rosario, Córdoba et Tucumán.

Du 12 au 19 mai 2002, 1078 messages ont été envoyés au forum qui nous intéresse par 651 personnes différentes. Sur la base des signatures, nous avons pu établir que 437 des participants étaient de sexe masculin et 179 de sexe féminin (dans 35 cas, le nom ne nous permet pas de le déterminer). L'ensemble des messages comprend un total de 146 792 mots (l'équivalent d'un livre de 600 pages). Nous avons jugé que ce corpus était particulièrement approprié pour notre recherche, car il nous offrait un aperçu tout à fait actuel de la manière dont des membres de la classe moyenne font le lien entre la crise et leur identité. Nous ne prétendons nullement que ce groupe soit représentatif de toute la classe moyenne argentine et, encore moins, qu'il reflète la pensée de la population en général[43]. Pourtant, cette prise de parole où les convictions et les passions s'entremêlent est révélatrice d'un état d'âme collectif, particulièrement à un moment où la classe moyenne « a pris conscience du fait qu'elle peut changer les choses et faire respecter ses droits[44] ». À la différence d'un sondage d'opinion, les participants au forum réagissent en « temps réel » aux propos des autres et font preuve d'un franc-parler difficile à susciter dans le cadre d'une entrevue formelle. Le grand nombre de participants nous offre d'ailleurs une base empirique très solide pour l'application de procédures d'analyse quantitative du vocabulaire. Ce type d'approche permet de dépister les structures profondes du discours, tout en conservant les mots que les locuteurs ont choisis eux-mêmes pour exprimer leur pensée.

Nous avons constitué avec ce corpus de messages une base de données textuelles[45]. Diverses opérations avec l'aide de logiciels ont été effectuées[46] dont l'analyse de la répartition des réponses positives et négatives à la question de *Clarín*. Dans ce but, nous avons repéré

---

43.   Selon une recherche effectuée par la firme Carrier y Asociados en 2002, 53 % des foyers du segment supérieur de la classe moyenne, 27 % des foyers du segment intermédiaire et 13 % du segment inférieur ont accès à Internet.

44.   Ricardo Sidicaro, entrevue dans *BBC Mundo*, 31 décembre 2001.

45.   Sur ce type d'approche, voir Victor Armony, *Représenter la nation : le discours présidentiel de la transiton démocratique en Argentine*, Montréal, Éditions Balzac, 2000.

46.   Nous avons utilisé notamment : *SATO* (auteur : François Daoust, Université du Québec à Montréal), *Concordance* (auteur : R. J. C. Watt, University of Dundee) et *Lexico2* (auteur : André Salem, Université Paris 3).

toutes les occurrences des expressions « je suis très fier », « je suis fier », « je ne suis pas fier » et « j'ai honte », aussi bien que leur principales variantes[47]. Cela nous permet d'estimer le poids relatif des quatre types de réactions des participants. Sur 642 phrases observées, la distribution est la suivante : très fier : 10 % ; fier : 59 % ; pas fier : 20 % ; honte : 11 %. Il est donc clair que la plupart des participants demeurent attachés à leur nationalité. Nos données discursives convergent avec les résultats d'un sondage d'opinion réalisé en mars 2002[48] : 82 % des répondants se disaient alors fiers d'être argentins. Voici quelques extraits :

— Comment ne pas être fier de notre passé de grande nation ?

— Comment s'empêcher d'être fier d'être né dans une patrie comme la nôtre ?

— Je ne pourrais jamais perdre ma fierté nationale.

— Je suis fier de la qualité des gens ordinaires qui sont autour de moi.

— Je suis fier du territoire où j'habite et de mes concitoyens.

— Je me sens fier parce que cet échec n'a pas atteint nos foyers.

— Je suis fière parce que mes parents et mes enfants sont nés ici.

— Je suis fière parce que nous sommes un pays jeune.

— Je suis fière, car je ne m'identifie pas avec les corrompus.

— Malgré notre échec comme société, je suis très fier d'être argentin.

— Ça, c'est comme demander si je suis fier d'avoir une maladie terminale.

— Je ne peux pas être fier d'un pays où il n'y a pas de justice.

---

47. Voici la liste au complet : *estoy muy orgulloso-a, me siento muy orgulloso-a, me siento muy orgullosa, me siento orgulloso-a, estoy orgulloso-a, siento orgullo, podemos estar orgullosos, cómo no estar orgulloso, no me siento orgulloso-a, no estoy orgulloso-a, no me puedo sentir orgulloso, me da vergüenza, me avergüenza, siento vergüenza, como no sentir vergüenza, me avergüenzo.*

48. Il s'agit d'une étude réalisée par Cuore Consumer Research (CCR) auprès de 4500 personnes.

— Je ne suis pas fier parce chaque jour on vit moins bien.

— Je ne suis pas fier, car j'ai perdu l'espoir.

— Malheureusement, je ne suis plus fier comme je l'ai été[49].

Nous avons établi, par la suite, l'index des mots clés : la liste des termes (ou groupes de termes ayant une racine commune) sémantiquement « pleins » (les noms, les adjectifs qualificatifs et les verbes non auxiliaires qui désignent des entités, des idées, des attributs ou des actions) les plus fréquents. Nous avons retenu les vingt premiers mots clés, tous ayant une fréquence de 150 ou plus dans le corpus. Cet index nous offre un portrait quantitatif des choix lexicaux récurrents dans l'ensemble des messages électroniques. Soulignons que notre approche vise les cadres cognitifs qui structurent la façon dont les participants au forum perçoivent et jugent la réalité. Nous cherchons donc les représentations nodales du discours, plutôt que la diversité des positions. L'index nous permet de constater, entre autres, que l'Argentin idéal-typique qui a répondu à la question de *Clarín* a tendance à employer des expressions qui soulignent le caractère affectif de son attachement national, notamment par le biais de termes comme « vie », « territoire », « enfants », « aime », « né ». Les exemples suivants illustrent cette propension à saisir la nationalité à travers l'expérience subjective : « l'Argentine est notre pays et elle le sera pour toute la vie », « je suis né ici [...] et mes racines sont ici », « j'aime ma patrie, mon territoire », « c'est ici que nous avons eu nos enfants ». La nationalité apparaît souvent dans le discours comme une donnée indissociable de

---

49. *¿ Cómo no sentir orgullo de nuestro pasado de nación grande ? ¿ Cómo evitar sentir orgullo de haber nacido en una patria como la nuestra ? No podría jamás perder mi orgullo nacional. Siento orgullo por la calidad de la gente comun que me rodea. Yo me siento orgulloso por la tierra que habito y por mis conciudadanos Me siento orgullo porque este fracaso no nos ha ganado la batalla en nuestros hogares, Estoy orgullosa porque aquí nacieron mis padres, mis hijos. Estoy orgullosa de ser Argentina, por que somos un país joven. Estoy orgullosa, porque no me identifico con los corruptos. A pesar de nuestro fracaso como sociedad, siento un gran orgullo de ser argentino. Esto es lo mismo que preguntar si estoy orgulloso de tener una enfermedad terminal. No se puede sentir orgullo de ser de un país en el que no hay justicia. No estoy orgulloso porque cada día se vive peor. No me siento orgulloso, porque perdí las esperanzas. Lamentablemente no siento el orgullo que alguna vez tuve.*

l'identité personnelle. Certains participants font même l'analogie avec l'amour filial : « luttons pour notre patrie, comme nous le ferions pour notre mère », « la patrie, comme la mère, il n'y en a qu'une seule ! ». Afin d'examiner l'usage concret des mots clés du discours, ainsi que la manière dont ils s'entrelacent, nous avons effectué une analyse de « co-occurrences ». Il s'agit d'un test lexicométrique de nature probabiliste qui permet d'identifier, pour un terme désigné comme pivot, les corrélations lexicales significatives. Ces co-occurrences ne sont pas nécessairement très fréquentes dans le corpus examiné, mais elles révèlent parfois des réseaux sémantiques sous-jacents au discours. L'analyse nous a permis, en effet, de vérifier que les mots clés « argentins », « fier », « Argentine », « sentir », « peuple », « patrie », « terre », « enfants », « national », « aime » et « né » forment un réseau, car ils sont tous corrélés de manière directe ou indirecte. Nous voyons d'ailleurs des associations fortes qui témoignent d'une idéalisation de la nation : « pays ravissant », « peuple solidaire », « terre bénie ». Notons encore que les valeurs qui ressortent dans ce discours identitaire sont surtout de nature affective, plutôt qu'éthiques ou politiques (parmi les principales co-occurrences des mots clés, on observe un seul concept proprement éthico-politique : « liberté », associé à « aime »). Un deuxième réseau regroupe les mots « politiciens », « dirigeants », « culpabilité » et « corrompus ». Il faut cependant remarquer que le terme « culpabilité » est aussi associé à « tous » et « nous ». Cela reflète l'argument de la responsabilité partagée par l'ensemble de la société : « la faute est à nous tous, il faut l'assumer », « si le pays est comme ça, c'est la faute de chacun d'entre nous ». Mais la figure du politicien « corrompu », « voleur » et « inepte » est clairement dominante.

Il est possible de voir émerger un troisième réseau, liant les mots « gens », « vie » et « travail ». Il semble renvoyer à l'univers de la vie quotidienne et aux conditions concrètes de l'existence. Le terme « gens », un mot apparemment banal, enferme pourtant une signification profonde. Plusieurs intellectuels ont, en effet, remarqué l'émergence de « ce nouvel acteur, aussi évanescent qu'influent[50] ». Employé deux

---

50. Edgardo Mocca, *op. cit.*

fois plus souvent que « peuple », le mot « gens » semble correspondre à ce que les universitaires désignent comme « les citoyens » ou les « acteurs de la société civile ». L'accent est mis sur le caractère spontané, électif et subjectif de leur participation à la vie publique, sur le fait qu'ils ne répondent pas à une idéologie, à un parti ou à un leadership donné. Ils sont des « gens ordinaires » — la « multitude » dont parle Paolo Virno[51] —, donc extérieurs aux cliques et aux intérêts qui dominent la vie collective. Mais ils sont aussi le reflet d'une société atomisée, plus individualiste, où les liens solidaires s'établissent *ad hoc* plutôt que, par exemple, sur la base de principes universalistes (comme le bien commun ou la volonté populaire). Les co-occurrences de « gens » expriment une sorte de bonté naturelle qui contraste avec l'avilissement propre à la politique : ils sont « honnêtes », « bons », « intelligents ». Les mots « vie » et « travail » renvoient, quant à eux, à la notion de « dignité », un concept de plus en plus courant dans la mise en valeur du vécu des acteurs face aux forces impersonnelles et insensibles du marché et de l'État.

L'analyse des co-occurrences nous amène à identifier trois grands champs du discours : (1) l'Argentine (la représentation du collectif national, le principe de totalité), (2) les Argentins (les acteurs dans leur matérialité et leur subjectivité) et (3) les dirigeants (le gouvernement, les politiciens, etc.). Rappelons en passant que cette triade, tout à fait cohérente d'un point de vue conceptuel, est le résultat d'une démarche lexicométrique aveugle à la signification des mots. Ce n'est pas nous qui avons projeté ces catégories analytiques sur le discours ; c'est le discours lui-même qui les a produites. Afin d'examiner les cadres cognitifs qui sous-tendent ces trois champs, nous avons effectué une étude des unités distinctives. Ce type de procédure vise à détecter les mots ou les syntagmes qui caractérisent un sous-ensemble discursif vis-à-vis de l'ensemble du corpus. Nous avons d'abord repéré les expressions qui réfèrent de façon explicite aux trois champs. Pour le premier : « mon pays », « l'Argentine », « ma patrie », « cette terre », etc. Pour le deuxième : « les Argentins », « les gens », « notre peuple »,

---

51. Paolo Virno, *Grammaire de la multitude. Pour une analyse des formes de la vie contemporaine*, Montréal, Conjonctures et éclats.

etc. Pour le troisième : « les politiciens », « la classe dirigeante », « le gouvernement », etc.[52]. Nous avons ainsi identifié 1252 phrases qui portent sur l'Argentine, 598 sur les Argentins et 457 sur les dirigeants. Une procédure statistique a sélectionné les unités du vocabulaire qui distinguent chacun de ces trois sous-ensembles.

Le vocabulaire distinctif du champ « Argentine » renvoie surtout au thème de l'attachement affectif au lieu où se trouvent les racines. On vit la nation sur le mode biographique : c'est sur ce sol que l'on est né, que l'on a grandi, que l'on a sa famille. Les références proprement patriotiques sont souvent liées aux souvenirs d'enfance ou à l'émotion ressentie face aux symboles de la nationalité : « Je suis fière quand je vois le drapeau flotter au vent[53]. » On note aussi le discours idéalisateur que nous avons déjà observé : « Ça, on ne le discute pas, car c'est le meilleur pays[54]. » La richesse nationale est également évoquée — « Je suis fière de vivre dans un pays si riche en ressources naturelles et humaines[55] » — et l'on souligne, parfois de façon très véhémente, le contraste entre l'Argentine et ses habitants : « Le problème ici, ce n'est pas le pauvre pays qui n'a rien à voir avec la crasse qui lui marche par-dessus[56]. » Les termes « m'en aller » et « j'ai quitté » ont trait au choix de rester, en dépit des problèmes, ou de capituler et d'abandonner le pays. Il est clair qu'il s'agit d'une question incontournable pour bien des Argentins de classe moyenne. Il y a, d'une part, ceux qui persistent : « Malgré la crise et les députés qui nous volent, j'aime mon territoire, et je ne vais pas baisser les bras ou m'en aller du pays[57] » ;

52. Champ 1 : *mi/el/este/nuestro país, la/mi/nuestra Argentina, la/mi/nuestra/esta patria, esta/mi/nuestra tierra*. Champ 2 : *los/muchos argentinos, la/su/mucha/nuestra gente, el/nuestro/este pueblo, pueblo argentino*. Champ 3 : *los/nuestros/estos políticos, clase dirigente, clase política, los/nuestros/sus dirigentes, dirigentes políticos, la dirigencia, el gobierno, el Estado, los/nuestros gobernantes, los gobiernos, los que gobiernan*.
53. *Me siento orgullosa cuando veo flamear la bandera.*
54. *Eso no se discute, porque es el mejor país.*
55. *Estoy orgullosa de vivir en este país tan rico.*
56. *El problema acá es otro, no el pobre país que nada tiene que ver con la porquería que le camina por arriba en recursos naturales y humanos.*
57. *A pesar de la crisis y de los diputados que nos roban, amo mi tierra, y no por eso voy a dejar de bajar los brazos o irme del país.*

« J'aime vraiment ce pays et jamais l'idée ne m'est venue de m'en aller[58]. » D'autre part, il y a ceux qui sont déjà partis : « Je vis à l'étranger, je suis parti parce que je crois que ce pays n'en peut plus[59] » ; « Malheureusement, j'ai aussi quitté l'Argentine comme beaucoup d'autres, et exactement pour la même raison[60]. »

Le discours sur les Argentins — « le peuple », mais surtout « les gens » — véhicule nettement la représentation naturaliste dont nous avons parlé : ce sont « de bonnes gens », « des gens de bien », « d'honnêtes gens » ; ils travaillent et ils s'inscrivent dans le temps et l'espace du quotidien (la rue, les coutumes, la santé, les amis). Les participants souhaitent, par exemple, « un pays plus juste, où l'on respecte la vie et la dignité des gens », où l'on n'ait pas à « voir des gens sans abri, des enfants sous-alimentés, des vieillards malades, des jeunes sans espoir ». Cette représentation d'une société essentiellement vertueuse, mais qui a été abusée, malmenée et exploitée par une minorité est récurrente. La phrase suivante exemplifie le type d'opposition exprimée dans les messages envoyés au forum : « Ceci est un pays magnifique, avec des gens qui ne méritent pas les gouvernements qu'ils ont eu pendant les dernières trois ou quatre décennies[61]. » Les élites — les politiciens, mais aussi les syndicalistes, les juges et les grands entrepreneurs — constituent une « caste » aux traits que nous avons déjà relevés : pourris, voleurs, ineptes, coupables. La solution consistera à « former de nouveaux dirigeants [...] avec une vocation de service, récupérer les forces morales[62] ». Bref, l'analyse des unités distinctives nous a permis de confirmer l'existence de trois cadres cognitifs tout à fait différenciés et cohérents dans le discours. Nous retrouvons une représentation idéalisée de l'Argentine où le pays réel est perçu comme une

---

58.   *Amo realmente a este país, y jamás se me cruzó irme.*
59.   *Vivo en el exterior, me fui por que creo que ese país no da para más.*
60.   *Lamentablemente yo tambien me fui de Argentina como muchos, y exactamente por el mismo motivo.*
61.   *Este es un hermoso país, con gente que no se merece los gobiernos que ha tenido durante las últimas tres o cuatro décadas.*
62.   *Deberemos [...] formar nuevos dirigentes políticos y sindicales con vocación de servicio, recuperar las fuerzas morales*

version dévalorisée du pays que « nous devrions avoir », que « nous méritons ». Voici un extrait que résume parfaitement cette vision :

> Le pays où je suis né [...] est merveilleux ; il existe des gens merveilleux, une culture riche et des gens laborieux [...] le chaos actuel n'est pas le produit de ces gens-là [...] mais d'un petit nombre de pourris, de la classe dirigeante et politique[63].

La fin d'une illusion

D'aucuns voient dans le refus de la politique dite « traditionnelle » une preuve de la maturité démocratique des Argentins et de l'autonomie croissante de la société civile. D'autres, par contre, y voient la marque d'un nouvel individualisme, d'une tendance à la privatisation des enjeux collectifs. Nous devons saisir le cas argentin dans le contexte d'une tendance lourde qui touche toutes les démocraties. On pouvait lire par exemple dans *Le Monde*, à propos des élections législatives de 2002 en France : « Ce qu'a confirmé le scrutin du 21 avril, au-delà de toute attente, c'est bien que le pouvoir en France, c'est-à-dire la représentation politique des citoyens, est affaibli[64]. » Ou encore, commentant les élections en Israël, une journaliste écrivait : « il n'y que des politiciens gris que le public regarde avec de la méfiance, de l'indifférence et du dégoût ; ce qui est encore pire, ces politiciens ne semblent avoir aucune signification dans la vie des gens[65] ». Le politologue américain Robert Cox, quant à lui, réfère à la généralisation du terme « classe politique » dans le discours public actuel, ce qui implique que « les politiciens son vus comme une catégorie distincte d'êtres, servant leurs propres intérêts[66] ». Quelle est donc la particularité de l'Argentine à cet égard ?

---

63. *Porque el país, donde he nacido y desarrollado, es maravilloso, existe gente maravillosa, una cultura rica y gente trabajadora. No se debe confundir, el caos actual no es producto de esa gente, ni de los 37 millones de argentinos, sino de unos pocos corruptos, de la clase dirigente y política.*
64. « La politique en crise », Éditorial, *Le Monde*, 8 juin 2002.
65. Lily Galili, « It's all waste, and will end with a whimper », *Haaretz, English Edition*, 1er février 2003.
66. Robert Cox, « A Perspective on Globalization », dans J. Mittelman, *Globalization : Critical Reflections*, Boulder, Lynne Rienner Publishers, 1996, p. 21-30.

Nous avons formulé l'hypothèse que les Argentins de classe moyenne se sentent trahis par les politiciens, mais que leur colère a probablement une cause plus profonde : c'est l'image d'eux-mêmes et de leur pays qui a été brouillée par la crise. Nous croyons, en effet, qu'il existe en Argentine une panne généralisée de la représentation politique comme mandat et comme figuration de la totalité sociale. En ce sens, la coupure entre la politique et la citoyenneté n'est pas qu'un blocage du système politique, comme beaucoup de sociologues et de politologues le constatent, mais aussi une mise en cause de la façon même dont les citoyens conçoivent la vie collective. Autrement, il est difficile d'expliquer pourquoi des dizaines de milliers de personnes sont descendues dans les rues pour exprimer leur frustration, d'autant plus que ces protestations ont donné lieu à des formes innovatrices de participation citoyenne. Nous avons déjà référé aux assemblées de quartier, un phénomène typique de classe moyenne, dont l'importance symbolique va bien au-delà de leur efficacité concrète. En fait, certains considèrent qu'elles constituent surtout un lieu de subjectivation de la chose publique, voire une instance de recomposition du lien social déchiré par l'individualisme consumériste[67].

L'analyse du discours nous a permis d'effectuer plusieurs observations empiriques concernant l'état d'âme de quelque 700 membres de la classe moyenne argentine. D'une part, nous avons vérifié que, malgré la crise, ils restent généralement attachés à leur identité nationale, parfois de manière très intense et souvent sur le mode de l'émotivité et de l'expérience biographique. Les références plus classiquement nationalistes sont relativement absentes, ainsi que l'invocation de valeurs éthico-politiques. Nous avons également vu que leur discours se structure clairement autour de trois axes thématiques : la fierté d'être né dans un pays exceptionnel, la responsabilisation de la classe dirigeante et la bonté inhérente des gens ordinaires. Notre analyse nous amène donc à conclure que le mythe de l'Argentine promise à la gloire, profondément ancré dans l'imaginaire national, semble encore avoir cours, aussi bien que les mécanismes d'autovictimisation

---

67.   Voir Ignacio Lewkowicz, *Sucesos argentinos. Cacerolazo y subjetividad postestatal*, Buenos Aires, Paidós, 2002.

qui expliquent les avatars du pays. Il s'agit de la conviction que l'Argentine est destinée à un avenir brillant : le pays fait fausse route, s'éloignant de plus en plus de ce qu'il a été, ou plutôt de ce qu'il devrait ou aurait dû être. Dans une conception qui ancre l'utopie dans le souvenir d'un âge d'or passé (celui de la prospérité libérale ou celui de l'abondance péroniste), l'objectif primordial consiste à freiner la décadence : l'Argentine grandiose existe, puisqu'on l'a vécue, mais elle est dormante.

Il est tout à fait intéressant de constater que la triade *pays-butin*, *peuple-victime* et *élite-coupable* demeure active dans le psychisme collectif. Comme nous l'avons vu, l'idée de l'Argentine malmenée, abîmée ou gaspillée est relativement constante, mais l'explication de cette fatalité varie en fonction de la manière dont on pose la contradiction fondamentale de la société. Les populismes, d'Yrigoyen[68] à Perón, ont interprété les malheurs du pays à travers le prisme peuple-oligarchie (et ses diverses variantes), Alfonsín a postulé l'opposition entre les démocrates et les autoritaires et Menem a mis de l'avant l'antinomie État-société. C'est cette dernière qui a servi de base à la contradiction que la classe moyenne perçoit aujourd'hui comme clivage premier : « la classe dirigeante » versus « les gens ». Cette transformation — nous l'avons indiqué — est concomitante à celle qui se produit actuellement dans toutes les démocraties occidentales : les citoyens se sentent aliénés, oubliés, réduits au silence par ceux qui détiennent les leviers de la vie collective. Ce qui a provoqué l'explosion sociale en Argentine, c'est la confluence de trois éléments. Les deux premiers sont de nature « structurelle » et leur incidence est, bien évidemment, déterminante : l'étendue de la corruption et la gravité de la récession économique.

Mais le troisième ingrédient, qui correspond au plan de représentations, a probablement été essentiel pour que la classe moyenne — traditionnellement peu encline à sortir dans les rues — se mobilise de façon si énergique. Le tournant néolibéral des années 1990 avait eu, certes, un impact négatif sur une grande partie des secteurs moyens. Cependant, le menemisme avait réussi à produire un effet de vrai-

---

68. Hipólito Yrigoyen a été président de 1916 à 1922 et de 1928 à 1930.

semblance en ce qui concerne la capacité de l'Argentine à se « réveiller » et à rentrer au « Premier monde ». La monnaie forte (ce qui signifiait des salaires élevés comparativement à ceux des autres pays de la région, l'accès à des biens importés et à la possibilité de voyager à l'étranger), le rapprochement avec les États-Unis (et la présence accrue de l'Argentine sur la scène internationale, grâce à son rôle de « bon élève » des organismes financiers multilatéraux), l'influx massif d'investissements étrangers et la modernisation rapide des infrastructures (réseaux routiers, télécommunications, etc.) pouvaient être vus comme les signes du revirement tant espéré. *The Wall Street Journal* faisait l'éloge en 1992 du « miracle argentin[69] ». Le président Menem se permettait d'annoncer en 1994 — et peu de voix s'élevaient pour le contredire — que l'Argentine était le pays qui connaissait la plus grande croissance économique en Occident et qu'elle se rangeait, enfin, parmi les nations les plus importantes du monde.

Ce n'est peut-être pas un hasard si l'événement déclencheur de la furie de la classe moyenne a été le *corralito*, lui-même la réponse du gouvernement à la crainte des épargnants face à une dévaluation appréhendée. C'est donc la mort de la « convertibilité » qui a marqué, aux yeux de la classe moyenne, la véritable fin de l'illusion. La culpabilisation de la classe dirigeante est une nouvelle manière de raconter le vieux récit mythique de l'échec national (la société est déculpabilisée et la promesse de l'Argentine idéale peut être reconduite), cette fois dans le cadre d'un discours aux accents antipolitiques. La question qui demeure est celle de la démocratie : qui sont ces « gens » qui s'affirment dans leur subjectivité, leur quotidienneté, leur « naturalité » face au monde éloigné, impitoyable et artificiel du pouvoir ? Sont-ils à l'origine d'une repolitisation citoyenne ou bien d'un repli individualiste et dépolitisant ? La conception de la socialité qui sous-tend la notion de « gens » peut certainement s'avérer

---

69. « C'est ce que l'on est en train d'appeler le miracle argentin. Sous le président Carlos Menem et son ministre de l'Économie, Domingo Cavallo, l'Argentine est en train de traverser une renaissance spectaculaire [...] L'Argentine [...] est en train de devenir l'emblème de la révolution du libre-échange en Amérique latine. » (*The Wall Street Journal*, 11 septembre 1992).

dangereuse à l'égard de la démocratie, particulièrement si l'on prend en compte ses attitudes anti-institutionnelles. En revanche, elle peut aussi être vue, jusqu'à un certain point, comme l'expression d'une nouvelle citoyenneté, intériorisée et encastrée dans les trajectoires personnelles des individus.

Ces « gens », se découvrant porteurs de droits et protagonistes de la vie collective, n'attendraient plus la solution idéale, globale et définitive qui vient d'en haut, mais exigeraient des réponses concrètes de la part des décideurs. Ils chercheraient à articuler le « monde commun » et le « monde vécu » où chaque individu construit le sens de son existence. Bien que l'on puisse adhérer à cette lecture optimiste de la mobilisation citoyenne, on doit admettre que la « rébellion des gens ordinaires[70] » comporte des aspects troublants, dont par exemple le penchant particulariste des revendications. Nous conclurons pourtant que, dans un pays où la pensée magique, le paternalisme et le messianisme ont trop souvent caractérisé la politique, l'émergence chez les acteurs d'une tendance vers le réalisme et le pragmatisme est, en soi, une assez bonne nouvelle.

---

70. Cette expression, que nous avons repris dans le titre du chapitre, est celle qu'un journaliste argentin a utilisée pour décrire les événements de décembre 2001. Voir Alfredo Leuco, « La rebelión de la gente común », *Noticias*, n° 1304, 22 décembre 2001.

Conclusion

Le retour de la politique

En décembre 2001, les Argentins avaient étonné le monde en sortant massivement dans les rues pour protester contre un modèle économique qui, durant plus d'une décennie, avait avantagé les marchés, enrichi un groupe proche du pouvoir et appauvri la population. Un an et demi plus tard, ils ont encore surpris le monde, mais cette fois-ci en donnant à Carlos Menem, l'artisan du virage néolibéral, la plus forte proportion de voix dans la course à la présidence. Comment expliquer ce paradoxe ? En fait, comme tout véritable paradoxe, il ne s'agit que d'une contradiction apparente. Les Argentins ont été cohérents, bien plus que ce que les observateurs et les analystes avaient anticipé. Menem n'a pas gagné l'élection d'avril 2003, même s'il a remporté la première place, avec 23,98 %. Deux tiers des citoyens ont choisi l'une ou l'autre des quatre principales options anti-Menem : le péroniste Néstor Kirchner, avec un score de 21,97 % ; Ricardo López Murphy (centre-droite), 16,65 % ; Elisa Carrió (centre-gauche) ; Adolfo Rodríguez Saá (péronisme national-populiste), 13,93 %. Cette élection a plutôt signifié la fin de l'emprise de Menem sur la politique argentine. Sa renonciation au second tour a été, à la fois, une dernière tentative de contrôler la scène publique et une reconnaissance de la défaite.

L'Argentine de 2001 et de 2002 avait été celle du « vote de la rage » et de la mobilisation sociale. Beaucoup craignaient que l'Argentine de 2003 serait celle de la crise institutionnelle avec, d'une part, la désaffection citoyenne et, d'autre part, la radicalisation, voire la violence politique. Pourtant, c'est plutôt le vote « positif » (un taux très élevé de participation, une quantité négligeable de vote blanc et nul) et le comportement hautement civique des électeurs qui ont caractérisé le scrutin. Certaines données sont même très encourageantes en ce qui concerne la vitalité démocratique du pays : par exemple, Elisa Carrió, qui a fait de la lutte contre la corruption son flambeau, représente un véritable changement dans la politique argentine. Avec son message d'extrême rigueur éthique (que certains taxent de moralisme rigide), elle a réussi à attirer plus de 2 millions et demi de voix, cela avec un mince marketing électoral. Ce qui rend le phénomène encore plus intéressant, c'est que Carrió est peut-être la première femme à arriver au centre de la politique sans le devoir au fait d'être l'épouse, la sœur ou la fille d'un dirigeant. Elle a interpellé particulièrement les femmes, tout en refusant elle-même de se plier au stéréotype féminin.

Or que peut-on espérer de Kirchner, homme peu connu d'une province lointaine, devenu président par défaut ? Soulignons d'abord qu'il a été le candidat propulsé par le président intérimaire, Eduardo Duhalde, l'ennemi juré de Menem. Mais Kirchner n'était pas le premier choix de Duhalde, même pas le deuxième. Le fait qu'il n'a pas de charisme (il est d'ailleurs bigle, a un problème de diction et porte fièrement des vestes démodées) et qu'il arrive presque par accident à la présidence l'a mis dans une position de faiblesse relative, d'autant plus que le retrait de Menem l'avait privé de la possibilité de remporter une majorité dans le ballottage prévu pour le 18 mai 2003 (on estime que les suffrages anti-Menem, autour de 70 %, auraient été dirigés vers lui). Cependant, après six mois au pouvoir, les sondages montrent que les Argentins sont malgré tout assez optimistes (quoi-qu'ils restent très prudents). D'une part, la récession qui avait commencé en 1998 était bel et bien finie. Duhalde avait assuré une transition sans remous et Kirchner a reconduit son ministre de l'Économie comme gage de continuité. Dans son discours inaugural, Kirchner a dit aux citoyens : « Je ne vous ai pas demandé, ni ne vous demanderai un chèque en blanc[1]. » On peut être certain qu'ils ne le lui donneront pas. Ce nou-veau rapport entre gouvernants et gouvernés, fruit des mobilisations

---

1.   Message à l'Assemblée législative, Buenos Aires, Présidence de la Nation, 25 mai 2003.

des deux dernières années, est un acquis que les Argentins ne sont pas prêts d'abandonner.

Le « style K »

Nul ne doute que Kirchner est devenu président en mai 2003 grâce au soutien de la machine clientéliste de Duhalde dans les banlieues appauvries de la capitale. C'est aussi grâce aux députés et aux sénateurs « duhaldistes » que le président a pu mettre de l'avant certains projets clés durant les premiers mois de son terme, par exemple la nomination d'un juge éminemment progressiste, Eugenio Zaffaroni, à la Cour suprême, devenue dans les années 1990 un symbole de la corruption « menemiste ». Cependant, tout en restant relativement dépendant de son mentor, Kirchner a produit par lui-même une transformation majeure de la scène politique argentine. Très tôt, il a manifesté ce que les journalistes ont appelé le « style K », soit un style décisionnel et frontal — par exemple, vis-à-vis du FMI, des grandes compagnies, des forces policières et des militaires — mais aussi conciliateur — notamment envers les *piqueteros* et la protestation sociale en général. Il a ainsi atteint un niveau de popularité que personne n'aurait pu imaginer dans l'Argentine révoltée de 2002. De président « par accident » — au début 2003, Kirchner attirait 7 % des intentions de vote et 20 % des citoyens ne le connaissaient même pas[2] — il comptait à la fin de l'année l'approbation d'une large majorité des Argentins et de la plupart des médias. À Buenos Aires, son image est positive auprès de 88,8 % des personnes[3]. En ce sens, il est arrivé à construire assez rapidement un espace de pouvoir qui lui est propre. Les élections complémentaires qui ont eu lieu dans plusieurs provinces depuis son arrivée au pouvoir, où le péronisme a gagné presque partout, ont été une claire validation de son mandat.

La question de fond qui s'impose est bien sûr la suivante : comment ce président « par défaut » est-il arrivé non seulement à asseoir une légitimité en seulement quelques mois, mais aussi à rétablir la confiance des gens dans leurs représentants, voire à installer un climat

---

2. *Clarín*, 24 novembre 2003.
3. *Clarín*, 1er décembre 2003.

d'espoir renouvelé dans une société tellement désabusée ? En octobre 2003, trois Argentins sur quatre se disaient optimistes face à l'avenir, le double de ce que l'on mesurait aux meilleurs moments du gouvernement de Fernando de la Rúa[4]. Une autre donnée suggestive à cet égard : après avoir traité tous les politiciens de voleurs durant la crise, 70 % des citoyens de Buenos Aires confieraient à Kirchner, comme individu, leur argent pour faire un paiement[5]. Dans son discours inaugural du 25 mai passé, nous l'avons vu, Kirchner avait annoncé au peuple : « Je ne vous ai pas demandé, ni ne vous demanderai un chèque en blanc.» Ironiquement, les Argentins semblent prêts à lui en donner un aujourd'hui. Comment ce renversement s'est-il produit ? On peut être tenté d'attribuer le changement aux aléas de l'humeur collective : le dernier sondage de *Latinobarómetro* montre que l'opinion publique argentine est, en effet, extrêmement volatile depuis le déclenchement de la crise. L'explosion de rage aurait alors été un phénomène contingent, un moment de catharsis sociale, surtout pour une classe moyenne se sentant trahie et dérobée de ses épargnes. Une fois la situation normalisée, pourrait-on conclure, les Argentins seraient à nouveau séduits par un chef charismatique qui leur promet le salut de la nation. C'est le point de vue d'Alan Stoga, vice-président de l'Americas Society :

> L'Argentine est en train de vivre un fantasme. [...] Le président Kirchner est le magicien d'Oz qui a créé la sensation que son pays est en train de sortir rapidement du désespoir interne et de la disgrâce internationale[6].

La reprise économique de l'année 2003, à la suite de la récession commencée en 1998 et à la débâcle de décembre 2001, a suscité chez bien des Argentins le sentiment d'envisager enfin une « sortie de crise ». Cela a contribué, sans aucun doute, à l'image positive de Kirchner. Mais il n'y a pas que cet aspect de conjoncture. Nous devons considérer la possibilité que la société ait trouvé en Kirchner — sans nécessairement l'avoir cherché — le leader dont elle avait besoin dans le contexte actuel. Les divers cycles de la vie collective en Argentine ont

---

4. *MercoPress*, 6 octobre 2003.
5. *Clarín*, 1ᵉʳ décembre 2003.
6. *The Miami Herald*, 30 novembre 2003.

toujours commencé par une grande expectative, l'espoir de la réalisation tant espérée du destin national. Les présidents qui ont porté les successifs projets de régénération nationale ont été alors prisonniers de leurs promesses irréalisables. De Perón à Alfonsín à Menem, le résultat a été sans exception le même : la désillusion, le désenchantement et l'attente du prochain sauveur de la patrie. Kirchner est le premier président depuis plusieurs décennies à avoir inversé ce modèle : faible et inconnu au départ, il gagne l'adhésion des citoyens à travers ses victoires improbables.

Kirchner a devant lui plusieurs défis majeurs. Outre l'image positive et le discours rassembleur, son capital de crédibilité repose essentiellement sur la fermeté dont il a fait preuve sur quatre fronts : (1) dans la purge des forces armées et de sécurité que Kirchner a lancée durant la première semaine de son mandat, renvoyant les chefs militaires et plusieurs dizaines de hauts gradés, ainsi que les principales autorités de la Police fédérale ; (2) dans les démarches menant à l'annulation en août des lois de « Point final » et d'« Obéissance due » qui avaient bloqué les poursuites contre près de 3000 militaires impliqués dans la violation des droits humains durant la dernière dictature ; (3) dans les négociations avec les créanciers étrangers, ce qui lui a permis — avec le soutien actif des États-Unis — d'obtenir en septembre un accord avec le FMI pour le rééchelonnement de la dette ; et (4) dans le « nettoyage »de la Cour suprême, commencé en juin avec la démission de son président, Julio Nazareno, suivi par le départ en octobre 2003 du juge Guillermo López et achevé deux mois plus tard avec la destitution du juge Eduardo Moliné O'Connor. Ces gestes lui ont valu le respect d'une large partie de la population ainsi que les louanges d'acteurs aussi divers que les Mères de la Plaza de Mayo et l'Union industrielle argentine.

Néstor Kirchner est généralement vu comme un président de centre-gauche, faisant partie du tournant postnéolibéral que connaît la région depuis quelques années et dont le président brésilien Luiz Inacio « Lula » da Silva est la figure emblématique. Cette lecture n'est pas inexacte, mais il va de soi qu'elle cache la portée véritable des enjeux ainsi que la particularité de chaque situation nationale. D'abord, il est peut-être plus approprié de parler d'une version latino-américaine — certes plus radicalisée — de la « troisième voie » européenne. En effet, ces nouveaux leaders, appuyés sur des mouvements populaires et fort critiques du « fondamentalisme de marché » ne sont pas pour autant à la veille de remettre en cause les principes qui ont conduit à la libéralisation de leur économie. Par exemple, Kirchner annonçait, lors de son investiture, que son gouvernement allait « approfondir la stratégie d'ouverture des marchés, augmenter substantiellement nos échanges avec le reste de la planète ». Cela ne révèle pas précisément une attitude « antimondialisation » comme l'étiquette « gauche » pourrait le laisser entendre. En fait, ce type de discours témoigne de la complexité du phénomène « Kirchner » et, par extension, de celui des leaders politiques en phase avec la mobilisation sociale qui agitait dernièrement l'Amérique latine. Kirchner est un péroniste, ce qui veut dire qu'il partage avec bien des Argentins une identité qui va au-delà d'une simple appartenance partisane ou d'une prise de position idéologique. Mais cette identité est celle des jeunes péronistes qui, voilà trente ans, a été porteuse d'un projet de justice sociale et la cible de choix de l'extrême droite. Le président a réussi à se présenter à la fois comme le représentant d'une « nouvelle génération » et comme l'héritier d'une mémoire sociale que le menemisme, avec son opportunisme et son triomphalisme, avait complètement délaissée.

Kirchner s'est fait le vecteur — peu importe si c'est de manière sincère ou stratégique — de la nouvelle culture politique qui a commencé à s'installer en 1983 après la dictature et qui a atteint un tournant avec la chute du gouvernement de l'*Alianza*. L'expérience de l'alfonsinisme, avec tous ses défauts, avait permis à la société argentine de saisir la démocratie comme une finalité en elle-même plutôt que comme un moyen pour l'accomplissement d'un soi-disant bien commun, celui prôné par le national-populisme. Le traumatisme de l'hyperinflation ainsi que les effets néfastes du modèle néolibéral piloté par le « menemisme » ont appris à bien des Argentins — de toutes les classes sociales — le sens de la citoyenneté : lorsque celle-ci fut à tel point dévaluée, ils sont sortis dans les rues pour exiger sa reconnaissance.

Des principes élémentaires comme la dignité et le droit à se faire entendre sont devenus, bien plus que les idéologies et les identités partisanes, les pivots d'une nouvelle action collective. La crise de 2001 a constitué un choc brutal de réalisme, blessant mortellement le mythe d'un destin national qui devait se réaliser inexorablement. Elle a aussi été l'occasion d'un *retour de la politique*, celui que l'*Alianza* avait voulu incarner entre 1999 et 2001. Kirchner a bien saisi cet enjeu en plaçant ce qu'il a appelé la « transversalité » au cœur de sa gestion. Il s'agit certes d'un dispositif rhétorique comme tant d'autres. Pourtant, cette idée véhicule un message auquel beaucoup d'Argentins ont été très réceptifs : celui de la construction d'un projet rassembleur qui se fonde sur des normes partagées, plutôt que sur le consensus monolithique, l'hégémonie ou la conformité. L'image évoque la transparence, l'horizontalité, la convergence. Il récupère le concept de « frentismo » — le tissage d'alliances entre les divers secteurs populaires et progressistes — si cher au péronisme, tout en abandonnant la tradition du « verticalismo » caractéristique du modèle populiste. Kirchner vise ainsi à s'appuyer — électoralement et discursivement — sur l'élan de la société civile et de ce qui semble être une attitude plus vigilante et plus autonome — et peut-être plus individualiste — des citoyens.

Bibliographie

Abou, Selim, *Immigrés dans l'autre Amérique : autobiographies de quatre Argentins d'origine libanaise*, Paris, Plon, 1972.

Abraham, Tomás, *Historias de la Argentina deseada*, Buenos Aires, Sudamericana, 1995.

Adelman, Jeremy, « Spanish-American Leviathan ? State Formation in Nineteenth-Century Spanish America », *Comparative Studies in Society and History*, vol. 40, 1998.

Aguinis, Marcos, *El atroz encanto de ser argentinos*, Buenos Aires, Planeta, 2001.

Alberdi, Juan Bautista, *La Revolución del 80*, Buenos Aires, Plus Ultra, 1964.

Alexander, Robert Jackson, *An Introduction to Argentina*, New York, Praeger, 1969.

Alfonsín, Raúl, *La cuestión argentina*, Buenos Aires, Editorial Propuesta Argentina, 1981.

Altamirano, Carlos, « ¡ Que se vayan todos ! », *La Ciudad Futura*, n° 51, août 2002.

Altamirano, Carlos, « Sobre el juicio a las juntas militares », *Punto de Vista*, vol. VII, n° 24, 1985.

Antonio, Alberto Spota, « Le cas argentin », dans Jacques Zylberberg et Claude Emeri (dir.), *La démocratie dans tous ses États : Argentine, Canada, France*, Sainte-Foy, Les Presses de l'Université Laval, 1993.

Arfuch, Leonor, « Biografía y política », *Punto de Vista*, n° 47, 1993.

Arfuch, Leonor, « Dos variantes del juego de la política en el discurso electoral de 1983 », dans *El discurso político : lenguajes y acontecimientos*, Buenos Aires, Hachette, 1987.

Arias, María Fernanda, « Charismatic Leadership and the Transition to Democracy : The Rise of Carlos Saúl Menem in Argentine Politics », University of Texas at Austin, Working Papers of the Institute of Latin American Studies, n° 95-02, 1995.

Armony, Victor, « Building Citizenship : Social Protest and Citizen Mobilization in Latin America », dans Rosalind Boyd et S. J. Noumoff (dir.), Struggles in the Americas : The Emergence of a New Civil Society, Montréal, Centre for Developing-Area Studies (Université McGill), 2003.

Armony, Victor, « "El país que nos merecemos" : mitos identitarios en el discurso político argentino », deSignis (Fédération latino-américaine de sémiotique), n° 2, 2002.

Armony, Victor, « L'expérience argentine des rapports entre l'économie, la société et l'État », dans Michel Fortier (dir.), L'Éthique dans les démocraties libérales : État, économie, société civile, Montréal, Guérin, 2003.

Armony, Victor, « National Identity and State Ideology in Argentina », dans Mercedes Durán-Cogan et Antonio Gómez-Moriana (dir.), National Identities and Socio-Political Change in Latin America, New York, Garland Publishing, 2001.

Armony, Victor, « Néopopulisme et néolibéralisme : quelques éléments pour une conceptualisation », Égalité, n°s 44-45, 1999.

Armony, Victor, Représenter la nation : le discours présidentiel de la transition démocratique en Argentine (1983-1993), Montréal, Balzac, 2000.

Armony, Victor et Elena Bessa, « Emerging Social and Ethnic Identities in Latin America », communication présentée au 15e Congrès international de sociologie, Brisbane (Australie), 2002.

Auyero, Javier, Contentious Lives. Two Argentine Women, Two Protests, and the Quest for Recognition, Durham, Duke University Press, 2003.

Auyero, Javier, La protesta. Retratos de la beligerancia popular en la Argentina democrática, Buenos Aires, Centro Cultural Rojas-UBA, 2002.

Ayerbe, Luis Fernando, « A transição para a democracia na Argentina (1984-1989) : um balanço do governo Alfonsín », Perspectiva, vol. 14, 1991.

Aznárez, Carlos et Javier Arjona, Rebeldes sin tierra. Historia del MST de Brasil, Navarre (Espagne), Txalaparta, 2002.

Béarn, Georges, La décade péroniste, Paris, Gallimard, 1975.

Birnbaum, Pierre, Le peuple et les Gros : histoire d'un mythe, Paris, Hachette, 1995.

Blanksten, George I., Peron's Argentina, New York, Russell & Russell, 1967.

Borón, Atilio, Estado, Capitalismo y Democracia en América Latina, Buenos Aires, Imago Mundi, 1991.

Borrini, Alberto, *Cómo se hace un presidente*, Buenos Aires, Ediciones El Cronista Comercial, 1984.

Bruce, James, *Those Perplexing Argentines*, New York, Longmans & Green, 1953.

Buchruker, Cristián, « Notas sobre la problemática histórico-ideológica de la identidad nacional argentina », dans Mario Rapoport (dir.), *Globalización, integración e identidad nacional : análisis comparado Argentina-Canadá*, Buenos Aires, Grupo Editor Latinoamericano, 1994.

Calvert, Susan et Peter Calvert, *Argentina : Political Culture and Instability*, Pittsburgh, University of Pittsburgh Press, 1989.

Canovan, Margaret, « Trust the People ! Populism and the Two Faces of Democracy », *Political Studies*, vol. 47, n° 1, 1999.

Cantón, Darío, José Luis Moreno et Alberto Ciria, *La democracia constitucional y su crisis*, Buenos Aires, Hyspamérica, 1980.

Chaneton, Juan Carlos, *Argentina : la ambigüedad como destino. La identidad del país que no fue*, Buenos Aires, Biblos, 1998.

Cheresky, Isidoro, « La bancarrota », *La Ciudad Futura*, n° 50, mars 2002.

Cheresky, Isidoro, « Argentina, una democracia a la búsqueda de su institución », *Revista Europea de Estudios Latinoamericanos y del Caribe*, n° 53, 1992.

Chesnais, François et Jean-Philippe Divès, *¡ Que se vayan todos ! Le peuple argentin se soulève*, Paris, Nautilus, 2002.

Clemenceau, Georges, *South America To-Day : A Study of Conditions, Social, Political, and Commercial, in Argentina, Uruguay and Brazil*, New York, Putnam, 1911.

Colburn, Forrest, *Latin America at the End of Politics*, Princeton, Princeton University Press, 2002.

Colmegna, Paula, « The *Piquetero* Movement of the Unemployed : Active Rejection of an Exclusionary Form of Democracy », communication présentée au congrès de l'Association canadienne des études latino-américaines et caraïbes, Montréal, 2002.

Cox, Robert, « A Perspective on Globalization », dans J. Mittelman, *Globalization : Critical Reflections*, Boulder, Lynne Rienner Publisher, 1996.

Daguerre, Celia, Diana Durán et Albina Lara, *Argentina. Mitos y realidades*, Buenos Aires, Lugar Editorial, 1997.

de Ipola, Emilio, « Crisis y discurso político en el peronismo actual : el pozo y el péndulo », dans *El discurso político : lenguajes y acontecimientos*, Buenos Aires, Hachette, 1987.

de Ipola, Emilio, « Debate », *La Ciudad Futura*, n° 51, août 2002.

de Ipola, Emilio, « La difícil apuesta del peronismo democrático », dans José Nun et Juan Carlos Portantiero (dir.), *Ensayos sobre la transición democrática en Argentina*, Buenos Aires, Puntosur, 1987.

de Ipola, Emilio, *Ideología y discurso populista*, Buenos Aires, Folios, 1983.

de Ipola, Emilio, *Investigaciones políticas*, Buenos Aires, Nueva Visión, 1989.

de la Torre, Carlos, « The Ambiguous Meanings of Latin American Populisms », *Social Research*, vol. 59, n° 2, 1992.

de Sousa Santos, Boaventura, « Los nuevos movimientos sociales », *Observatorio Social de América Latina*, n° 5, septembre 2001.

Dessein, Daniel Alberto, *Reinventar la Argentina. Reflexiones sobre la crisis*, Buenos Aires, Sudamericana, 2003.

Devoto, Fernando, « Idea de nación, inmigración y "cuestión social" en la historiografía académica y en los libros de texto de Argentina (1912-1974) », *Estudios Sociales*, vol. 2, n° 3, 1992.

Di Tella, Guido, « El renovado papel de la Argentina en el mundo », *Revista de Occidente*, n° 186, 1996.

Di Tella, Guido et Rudiger Dornbusch, *The Political Economy of Argentina, 1946-83*, Pittsburgh, University of Pittsburgh Press, 1989.

Dornbrusch, Rudiger et Sebastian Edwards, *The Macroeconomics of Populism in Latin America*, Chicago, University of Chicago Press, 1991.

Ehrensaft, Philip et Warwick Armstrong, « The Formation of Dominion Capitalism : Economic Truncation and Class Structure », dans Alan Moscovitch et Glenn Drover (dir.), *Inequality. Essays on the Political Economy of Social Welfare*, Toronto, University of Toronto Press, 1981.

Eloy Martínez, Tomás, *El sueño argentino*, Buenos Aires, Planeta, 1999.

Eloy Martínez, Tomás, *Réquiem por un país perdido*, Buenos Aires, Aguilar, 2003.

Escolar, Marcelo, Silvina Quintero Palacios et Carlos Reboratti, « Geographical Identity and Patriotic Representation in Argentina », dans David Hooson (dir.), *Geography and National Identity*, Oxford, Blackwell, 1994.

Escudé, Carlos, « Un enigma : la "irracionalidad" argentina frente a la Segunda Guerra Mundial », *Estudios Interdisciplinarios de América Latina y el Caribe*, vol. 6, n° 2, 1995.

Escudero, Lucrecia, *Malvinas : el gran relato. Fuentes y rumores en la información de guerra*, Barcelona, Gedisa, 1996.

Ferns, Henry Stanley, *Argentina*, Londres, Benn, 1966.

Ferrer, Christian, « El hombre pantalla », dans Héctor Schmucler et Cristina Mata (dir.), *Política y comunicación : ¿ hay un lugar para la política en la cultura mediática ?*, Buenos Aires, Universidad Nacional de Córdoba/ Catálogos, 1992.

Fontana, Andrés, « La política militar del gobierno constitucional argentino », dans José Nun et Juan Carlos Portantiero (dir.), *Ensayos sobre la transición democrática en Argentina*, Buenos Aires, Puntosur, 1987.

Fridman, Viviana, « Les immigrants face à l'argentinité : le mythe des gauchos judíos », dans Marie Couillard et Patrick Imbert (dir.), *Les discours du Nouveau Monde au XIXe siècle au Canada français et en Amérique latine*, Ottawa, Légas, 1995.

Gabetta, Carlos, « Argentine. La démocratie retrouvée », *L'état du monde 1984*, Montréal/Paris, La Découverte/Boréal, 1984.

Gabetta, Carlos, « Argentine. Les exigences du FMI », *L'état du monde 1985*, Montréal/Paris, La Découverte/Boréal, 1985.

Germani, Gino, *Estructura social de la Argentina. Análisis estadístico*, Buenos Aires, Solar, 1987 [1955].

Gèze, François et Alain Labrousse, *Argentine : révolution et contre-révolutions*, Paris, Éditions du Seuil, 1975.

Giardinelli, Mempo, *El país de las maravillas. Los argentinos en el fin del milenio*, Buenos Aires, Planeta, 1998.

Gohn, Maria da Glória, *Os Sem-Terra, ONGs e Ciudadanía : A sociedade civil brasileira na era da globalização*, São Paulo, Cortez, 2000.

Golbert, Laura et Emilio Tenti Fanfani, « Nuevas y viejas formas de pobreza en Argentina : la experiencia de los 80 », *Sociedad*, n° 4, 1994.

Goldwert, Marvin, *Democracy, Militarism, and Nationalism in Argentina, 1930-1966*, Austin, University of Texas Press, 1972.

Gónzalez, Horacio, « La Patria », dans Pablo Chacón (dir.), *El misterio argentino*, Buenos Aires, El Ateneo, 2003.

Grenier, Yvon, « Contre la dictature : l'Argentine en transition », dans Jacques Zylberberg et Claude Emeri (dir.), *La démocratie dans tous ses États : Argentine, Canada, France*, Sainte-Foy, Les Presses de l'Université Laval, 1993.

Grondona, Mariano, *La Realidad. El despertar del sueño argentino*, Buenos Aires, Plantea, 2001.

Guber, Rosana, *¿ Por qué Malvinas ? De la causa nacional a la guerra absurda*, Buenos Aires, Fondo de Cultura Económica, 2001.

Guillerm, Gérard, « Le "menemisme", ou les paradoxes d'une logique libérale », dans Anne Collin Delavaud et Julio César Neffa (dir.), *L'Argentine* à *l'aube du troisième millénaire*, Paris, Institut des hautes études de l'Amerique latine, 1994.

Guillerm, Gérard, *Le Péronisme : histoire de l'exil et du retour*, Paris, Publications de la Sorbonne, 1984.

Halperín Donghi, Tulio, *La larga agonía de la Argentina peronista*, Buenos Aires, Ariel, 1994.

Hirst William, Alfred, *Argentina*, New York, C. Scribner, 1911.

Hufty, Marc, « Régulation et dérégulation étatique de l'économie en Argentine », dans *La démocratie dans tous ses états : Argentine, Canada, France*, Jacques Zylberberg et Claude Emeri (dir.), Sainte-Foy, Les Presses de l'Université Laval, 1993.

Iñigo Carrera, Nicolás et María Celia Cotarelo, « La protesta en la Argentina (enero-abril de 2001) », Consejo Latinoamericano de Ciencias Sociales (CLACSO), Observatorio Social de América Latina, n° 4, 2001.

Iñigo Carrera, Nicolás et María Celia Cotarelo, « La protesta social en los '90 », *PIMSA. Publicación del Programa de Investigación sobre el Movimiento de la Sociedad Argentina*, Buenos Aires, 2000.

Jozami, Ángel, *Argentina. La destrucción de una nación*, Buenos Aires, Mondadori, 2003.

Justo López, Mario, « Les déboires du droit en Argentine », dans Jacques Zylberberg et Claude Emeri (dir.), *La démocratie dans tous ses états : Argentine, Canada, France*, Sainte-Foy, Les Presses de l'Université Laval, 1993.

Kaiser, Susana, « Escraches : demonstrations, communication and political memory in post-dictatorial Argentina », *Media, Culture & Society*, vol. 24, 2002.

Klachko, Paula, « Cutral Có y Plaza Huincul. El primer corte de ruta (del 20 al 26 de junio de 1996). Cronología e hipótesis », *PIMSA. Publicación del Programa de Investigación sobre el Movimiento de la Sociedad Argentina*, Buenos Aires, 1999.

Klein, Naomi, *Fences and Windows. Dispatches from the Front Lines of the Globalization Debate*, Toronto, Vintage, 2002.

Kliksberg, Bernardo, *Desigualdade na América Latina. O debate adiado*, São Paulo, Cortez/UNESCO, 2001.

Knight, Alan, « Populism and Neo-Populism in Latin-America, especially Mexico », *Journal of Latin American Studies*, vol. 30, 1998.

Koebel, William Henry, *The New Argentina*, New York, Dodd, Mead, 1923.

Kvaternik, Eugenio, « El peronismo de los '90 : un análisis comparado », dans Ricardo Sidicaro et Jorge Mayer (dir.), *Política y sociedad en los* años del menemismo, Buenos Aires, Oficina de Publicaciones del CBC, 1995.

Laclau, Ernesto, *Política e ideología en la teoría marxista*, Mexico, Siglo XXI, 1980.

Lafage, Franck, *L'Argentine des dictatures (1930-1983)* : *pouvoir militaire et idéologie contre-révolutionnaire*, Paris, L'Harmattan, 1991.

Lambert, Jacques et Alain Gandolfi, *Le système politique de l'Amérique latine*, Paris, Presses universitaires de France, 1987.

Landi, Oscar, *El discurso sobre lo posible (La democracia y el realismo político)*, Buenos Aires, Estudios CEDES, 1985.

Larrea, Carlos, « Estrategias de desarrollo y políticas sociales en América Latina », dans Alberto Acosta (dir.), *El Desarrollo en la Globalización. El Reto de América Latina*, Quito, Nueva Sociedad, 2000.

Lewkowicz, Ignacio, *Sucesos argentinos. Cacerolazo y subjetividad postestatal*, Buenos Aires, Paidós, 2002.

Lipiansky, Edmond Marc, *L'identité française : représentations, mythes, idéologies*, La Garenne-Colombes (France), Éditions de l'Espace européen, 1991.

Lodola, Germán, « Social Protests under Industrial Restructuring : Argentina in the Nineties », communication présentée au congrès de l'Association canadienne des études latino-américaines et caraïbes, Montréal, 2002.

López Echagüe, Hernán, *La política está en otra parte. Viaje al interior de los nuevos movimientos sociales*, Buenos Aires, Norma, 2002.

Luna, Félix, *Breve historia de los argentinos*, Buenos Aires, Planeta, 1993.

Maceira, Verónica et Ricardo Spaltenberg, « Una aproximación al movimiento de desocupados en el marco de las transformaciones de la clase obrera en Argentina », *Observatorio Social de América Latina*, 5, septembre 2001.

Mahon, Jr., James E. et Javier Corrales, « Pegged for Failure ? Argentina's Crisis », *Current History*, février 2002.

Majul, Luis, *La iluminada. Vida personal y política de Elisa Carrió*, Buenos Aires, Sudamericana, 2002.

Mangone, Carlos et Jorge Warley, *El discurso político : del foro al acontecimiento*, Buenos Aires, Biblos, 1994.

McGann, Thomas Francis, *Argentina. The Divided Land*, Princeton, Van Nostrand, 1966.

Melo, Artemio L., *El gobierno de Alfonsín : la instauración democrática argentina (1983-1989)*, Rosario (Argentine), Homo Sapiens, 1995.

Menem, Carlos et Eduardo Duhalde, *La revolución productiva*, Buenos Aires, Fundación Lealtad, 1989.

Minujín, Alberto et Gabriel Kessler, *La nueva pobreza*, Buenos Aires, Planeta, 1995.

Mocca, Edgardo, « El coro de la antipolítica favorece la aparición de soluciones autoritarias », *La Ciudad Futura*, n° 51, août 2002.

Morales Solá, Joaquín, *Asalto a la ilusión : historia secreta del poder en Argentina desde 1983*, Buenos Aires, Planeta, 1990.

Morales Solá, Joaquín, *El Sueño Eterno*, Buenos Aires, Planeta, 2000.

Moreno, Hugo, « Argentine : populisme et fin de "l'anomalie" ? », *Science(s) politique(s)*, n° 1, 1993.

Muchnik, Daniel, *Tres países, tres destinos. Argentina frente a Australia y Canadá*, Buenos Aires, Norma, 2003.

Munck, Ronaldo, *Latin America : The Transition to Democracy*, Londres, Zed Books, 1989.

Nascimbene, Mario C. et Mauricio Isaac Neuman, « El nacionalismo católico, el fascismo y la inmigración en la Argentina (1927-1943) : una aproximación teórica », *Estudios Interdisciplinarios de América Latina y el Caribe*, vol. 4, n° 1, 1993.

Negri, Antonio et al., *Diálogo sobre la globalización, la multitud y la experiencia argentina*, Buenos Aires, Paidós, 2003.

Novaro, Marco, « Menemismo y peronismo : viejo nuevo populismo », dans Ricardo Sidicaro et Jorge Mayer (dir.), *Política y sociedad en los años del menemismo*, Buenos Aires, Oficina de Publicaciones del CBC, 1995.

Nun, José, « Populismo, representación y menemismo », *Sociedad*, n° 5, 1994.

O'Donnell, Guillermo, « Democracia en la Argentina : *micro* y *macro* », dans Oscar Oszlak (dir.), « Proceso », crisis y transición democrática, vol. I, Buenos Aires, Centro Editor de América Latina, 1984.

Oliver, Pamela E., Jorge Cadena-Roa et Kelley D. Strawn, « Emerging Trends in the Study of Protest and Social Movements », dans Betty A. Dobratz, Timothy Buzzell et Lisa K. Waldner (dir.), *Research in Political Sociology*, vol. 11, JAI Press, 2003.

Oszlak, Oscar, « Privatización autoritaria y recreación de la escena pública », dans Oscar Oszlak (dir.), "Proceso", crisis y transición democrática, vol. I, Buenos Aires, Centro Editor de América Latina, 1984.

Palazuelos, Antonio Manso, « Introducción a la realidad económica latino-americana », dans Fernando Harto de Vera (dir.), *América Latina : Desarrollo, democracia y globalización*, Madrid, Trama/Cecal, 2000.

Perón, Juan, *Discursos completos*, Buenos Aires, Megafón, vol. IV, 1988.

Petras, James et Steve Vieux, « The Transition to Authoritarian Electoral Regimes in Latin America », *Latin American Perspectives,* vol. 21, n° 4, 1994.

Podetti, Mariana, María Elena Qués et Cecilia Sagol, *La palabra acorralada : la constitución discursiva del Peronismo renovador,* Buenos Aires, FUCADE, 1988.

Portantiero, Juan Carlos, « Los desafíos de la democracia », *TodaVÍA* (Fundación OSDE), septembre 2002.

Portantiero, Juan Carlos, « Menemismo y peronismo : continuidad y ruptura », dans *Peronismo y menemismo : avatares del populismo en la Argentina,* Buenos Aires, El Cielo por Asalto, 1995.

Portantiero, Juan Carlos, « La transformación entre la confrontación y el acuerdo », dans José Nun et Juan Carlos Portantiero (dir.), *Ensayos sobre la transición democrática en Argentina,* Buenos Aires, Puntosur, 1987.

Portantiero, Juan Carlos et Miguel Murmis, *Estudios sobre los orígenes del peronismo,* Buenos Aires, Siglo XXI, 1984.

Prieto, Adolfo, *El discurso criollista en la formación de la Argentina moderna,* Buenos Aires, Sudamericana, 1988.

Quattrocchi-Woisson, Diana, « Le rôle de l'histoire et de la littérature dans la construction des mythes fondateurs de la nationalité argentine », communication présentée au colloque *Mythes fondateurs nationaux et citoyenneté,* Montréal, 7-8 novembre 1996.

Quattrocchi-Woisson, Diana, *Un nationalisme de déracinés : l'Argentine, pays malade de sa mémoire,* Paris, Éditions du CNRS, 1992.

Quattrocchi-Woisson, Diana, « Discours historique et identité nationale en Argentine », *Vingtième Siècle,* n° 28, 1990.

Quevedo, Alberto, « La política bajo el formato televisivo », dans Héctor Schmucler et Cristina Mata (dir.), *Política y comunicación : ¿ hay un lugar para la política en la cultura mediática ?,* Buenos Aires, Universidad Nacional de Córdoba/Catálogos, 1992.

Roberts, Kenneth, « Neoliberalism and the Transformation of the Populism in Latin America : The Peruvian Case », *World Politics,* vol. 48, n° 1, 1995.

Rock, David, *Argentina, 1516-1987 : From Spanish Colonization to the Falklands War and Alfonsín,* Londres, Tauris, 1987.

Rock, David, *Politics in Argentina, 1890-1930 : The Rise and Fall of Radicalism,* Cambridge, Cambridge University Press, 1975.

Rock, David, « Racking Argentina », *New Left Review,* n° 17, 2002.

Rodríguez, Gloria Beatriz, « Un "Rosario" de conflictos. La conflictividad social en clave local », *Observatorio Social de América Latina,* n° 5, septembre 2001.

Romero, José Luis, *Breve historia de la Argentina*, Buenos Aires, Huemul, 1983.

Romero, José Luis, *El desarrollo de las ideas en la sociedad argentina del siglo XX*, Mexico, Fondo de Cultura Económica, 1965.

Rosanvallon, Pierre, *Le peuple introuvable*, Paris, Gallimard, 1998.

Rouquié, Alain, *Pouvoir militaire et société politique en République Argentine*, Paris, Presses de la Fondation nationale des sciences politiques, 1978.

Rua, Maria das Graças, « Exclusión social y acción colectiva en el medio rural. El Movimiento de los Sin Tierra de Brasil », *Nueva Sociedad*, n° 156, 1998.

Salamanca, Luis, « Protestas venezolanas en el segundo gobierno de Rafael Caldera : 1994-1997 », dans Margarita López Maya (dir.), *Lucha Popular, Democracia, Neoliberalismo : Protesta Popular en América Latina en los Años de Ajuste*, Caracas, Nueva Sociedad, 1999.

Sarlo, Beatriz, « Notas sobre cultura y política », *Cuadernos Hispanoamericanos*, n° 517-519, 1993.

Sarmiento, Domingo Faustino, *Facundo, civilización y barbarie : vida de Juan Facundo Quiroga*, Mexico, Editorial Porrua, 1966.

Sautu, Ruth, *La gente sabe. Interpretaciones de la clase media acerca de la libertad, la igualdad, el éxito y la justicia*, Buenos Aires, Lumiere, 2001.

Schnapper, Dominique, *La démocratie providentielle. Essai sur l'égalité contemporaine*, Paris, Gallimard, 2002.

Scribano, Adrián et Federico Schuster, « Protesta social en la Argentina de 200 : entre ruptura y normalidad », *Observatorio Social de América Latina*, n° 5, septembre 2001.

Scribano, Adrián, « Argentina "cortada" : cortes de ruta y visibilidad social en el contexto del ajuste », dans Margarita López Maya (dir.), *Lucha Popular, Democracia, Neoliberalismo : Protesta Popular en América Latina en los Años de Ajuste*, Caracas, Nueva Sociedad, 1999.

Seoane, María, « Introducción », dans *coll.*, *El menemato : radiografía de dos años de gobierno de Carlos Menem*, Buenos Aires, Ediciones Letra Buena, 1991.

Shumway, Nicolas, *The Invention of Argentina*, Berkeley, University of California Press, 1991.

Sidicaro, Ricardo, « Poder político, liberalismo económico y sectores populares en la Argentina, 1989-1995 », dans *coll.*, *Peronismo y menemismo : avatares del populismo en la Argentina*, Buenos Aires, El Cielo por Asalto, 1995.

Sigal, Silvia, « Crise politique et crise économique en Argentine », dans Anne Collin Delavaud et Julio César Neffa (dir.), *L'Argentine à l'aube du troisième millénaire*, Paris, Institut des hautes études de l'Amérique latine, 1994.

Sigal, Silvia et Gabriel Kessler, « Comportements et représentations dans une conjoncture de dislocation des régulations sociales : l'hyperinflation en Argentine », inédit, 1996.

Sigal, Silvia et Eliseo Verón, *Perón o muerte. Los fundamentos discursivos del fenómeno peronista*, Buenos Aires, Legasa.

Snow, Peter, « Argentina : Development and Decay », dans J. Knippers Black (dir.), *Latin America. Its Problems and its Promise*, Boulder, Westview Press, 1984.

Solberg, Carl, *Immigration and Nationalism : Argentina and Chile, 1890-1914*, Austin, University of Texas Press, 1985.

Spagnolo, Alberto, « La crisis institucional en la Argentina y los movimientos sociales », communication présentée à la *Hemispheric Civil Society Conference*, Université McGill, 2003.

Svampa, Maristella, « Las nuevas urbanizaciones privadas. Sociabilidad y socialización : la integración social "hacia arriba" », dans Luis Beccaria et al., *Sociedad y Sociabilidad en la Argentina de los 90*, Buenos Aires, Biblos, 2002.

Tabarovsky, Damián, *Discours politique et publicité télévisée : à propos de la campagne électorale en Argentine en 1989*, mémoire de DÉA, Paris, École des hautes études en sciences sociales, 1991.

Taguieff, Pierre André, « Racisme et anti-racisme : modèles et paradoxes », dans André Béjin et Julien Freund (dir.), *Racismes, antiracismes*, Paris, Librairie des Méridiens, 1986.

Touchard, Jean, *La République Argentine*, Paris, Presses universitaires de France, 1949.

Vázquez Montalbán, Manuel, *Marcos : El Señor de los Espejos*, Madrid, Punto de Lectura, 2001.

Verón, Eliseo, « Les médias comme opérateurs de sens dans une société déstructurée », dans *Discours sociaux et démocratie : communication sociale et anthropologie de l'économique en Argentine. Rapport final*, Paris, Maison des Sciences de l'Homme, 1990.

Vezzetti, Hugo, « El juicio : un ritual de la memoria colectiva », *Punto de Vista*, vol. VII, n° 24, 1985.

Virno, Paolo, *Grammaire de la multitude. Pour une analyse des formes de la vie contemporaine*, Montréal, Conjonctures et l'éclat, 2002.

Waisbord, Silvio, *El gran desfile : campañas electorales y medios de comunicación en la Argentina*, Buenos Aires, Editorial Sudamericana, 1995.

Waisman, Carlos H., « Civil Society, State Capacity, and the Conflicting "Logics" of Economic and Political Change », *Estudios Interdisciplinarios de América Latina y el Caribe*, vol. 13, n° 1, janvier-juin 2002.

Waisman, Carlos H., *Reversal of Development in Argentina : Postwar Counterrevolutionary Policies and their Structural Consequences*, Princeton, Princeton University Press, 1987.

Walter, Richard J., *Politics and Urban Growth in Buenos Aires : 1910-1942*, Cambridge, Cambridge University Press, 1993.

Weyland, Kurt, « Swallowing the Bitter Pill : Sources of Popular Support for Neoliberal Reform in Latin America », *Comparative Political Studies*, vol. 31, n° 5, 1998.

Weyland, Kurt, « Neopopulism and Neoliberalism in Latin America : Unexpected Affinities », *Studies in Comparative International Development*, vol. 31, n° 3. 1996.

White, John W., *Argentina, the Life Story of a Nation*, New York, Viking Press, 1942.

Wynia, Gary W., *Argentina : Illusions and Realities*, New York, Holmes & Meier, 1986.

Yannuzzi, María de los Angeles, *La modernización conservadora : el peronismo de los 90*, Buenos Aires, Fundación Ross, 1995.

Yattah, Fabián, *La « croyance » dans le discours politique. La campagne électorale argentine (1989) : le cas de Carlos Menem*, mémoire de DÉA, Paris, École des hautes études en sciences sociales, 1990.

Annexe

Les présidents argentins (1904-2004)

Période	Président	Appartenance
1904 - 1906	Manuel Quintana	Parti autonomiste national[1]
1906 - 1910	José F. Alcorta	Parti autonomiste national
1910 - 1914	Roque Sáenz Peña	Parti autonomiste national
1914 - 1916	Victorino de la Plaza	Parti autonomiste national
1916 - 1922	Hipólito Yrigoyen	Parti radical[2]
1922 - 1928	Marcelo T. de Alvear	Parti radical
1928 - 1930	Hipólito Yrigoyen	Parti radical
1930 - 1932	José F. Uriburu	Régime militaire
1932 - 1938	Agustín P. Justo	*Concordancia*[3]
1938 - 1942	Roberto M. Ortiz	*Concordancia*
1942 - 1943	Ramón Castillo	*Concordancia*
1943 - 1944	Pedro P. Ramírez	Régime militaire
1944 - 1946	Edelmiro J. Farrel	Régime militaire
1946 - 1955	Juan D. Perón	Parti péroniste[4]
1955	Eduardo Lonardi	Régime militaire
1955 - 1958	Pedro E. Aramburu	Régime militaire
1958 - 1962	Arturo Frondizi	Parti radical
1962 - 1963	José M. Guido	Président intérimaire
1963 - 1966	Arturo U. Illia	Parti radical
1966 - 1970	Juan C. Onganía	Régime militaire
1970 - 1971	Roberto M. Levingston	Régime militaire
1971 - 1973	Alejandro A. Lanusse	Régime militaire
1973	Héctor J. Cámpora	Parti péroniste[5]
1973	Raúl A. Lastiri	Président intérimaire
1973 - 1974	Juan D. Perón	Parti péroniste
1974 - 1976	María E. Martínez de Perón	Parti péroniste[6]

---

1. Le Parti autonomiste national (PAN) était un parti conservateur lié aux élites de Buenos Aires.
2. Le nom officiel du parti radical ou «radicalisme» est Union Civique Radicale (UCR). Il a été historiquement le parti des classes moyennes urbaines et des immigrants, avec une orientation oscillant entre le libéralisme et la social-démocratie.
3. La *Concordancia* était essentiellement un regroupement de conservateurs et de certains groupes du radicalisme qui s'étaient opposés au leadership d'Yrigoyen. Elle était soutenue par les militaires qui voulaient bloquer l'accès au pouvoir du radicalisme.
4. Le nom officiel du parti péroniste est Parti Justicialiste (PJ). Perón est arrivé au pouvoir en 1946 comme candidat du Parti travailliste. Il fut réélu en 1952 et délogé par les militaires en 1955.
5. Le péronisme avait été proscrit par les militaires entre 1955 et 1973. Cámpora remporta les élections de 1973 et démissionna aussitôt pour permettre l'élection de Perón (dont la candidature était interdite par les militaires).
6. María Estela Martínez (sous le prénom de Isabelita), l'épouse de Perón, était vice-présidente à la mort de Perón en 1974.

1976 - 1981	Jorge R. Videla	Régime militaire[7]
1981	Roberto E. Viola	Régime militaire
1981 - 1982	Leopoldo Galtieri	Régime militaire
1982 - 1983	Reynaldo Bignone	Régime militaire
1983 - 1989	Raúl Alfonsín	Parti radical
1989 - 1999	Carlos Menem	Parti péroniste[8]
1999 - 2001	Fernando de la Rúa	Alianza[9]
2001	Ramón Puerta	Président intérimaire
2001 - 2002	Adolfo Rodríguez Saá	Président intérimaire
2002	Eduardo Camaño	Président intérimaire
2002 - 2003	Eduardo Duhalde	Président intérimaire
2003 -	Néstor Kirchner	Parti péroniste

7. Le régime militaire de 1976 à 1983 a été connu comme le *Proceso* (son nom officiel était Processus de réorganisation nationale).
8. Carlos Menem fut réélu en 1995 grâce à la réforme constitutionnelle de 1994 qui élimina la clause d'interdiction de la réélection présidentielle. À partir de 1995, le terme présidentiel est de quatre ans, avec une seule possibilité de réélection consécutive.
9. L'*Alianza* (dont le nom complet était Alliance pour la Justice, le Travail et l'Éducation) était un regroupement du radicalisme et du Front pour un pays solidaire (FREPASO), un parti de centre-gauche créé en 1994 par des péronistes opposés au président Menem.

Glossaire

Alfonsinisme : mouvement politique créé autour du président Raúl Alfonsin dans les années 1980.

Asambleas barriales : assemblées de quartier où l'on pratique la démocratie directe.

Cacerolazos : manifestations de la classe moyenne où l'on frappe sur des casseroles.

Carapintadas : officiers de l'armée qui se sont soulevés contre le gouvernement de Raúl Alfonsin.

Menemisme : mouvement politique créé autour du président Carlos Menem dans les années 1990.

Péronisme : mouvement politique créé autour du président Juan Perón dans les années 1940.

Piqueteros : chômeurs organisés qui bloquent les routes et mettent sur pied des projets communautaires.

Liste des principaux acronymes

CCC : Corriente Clasista Combatavia (Courant classiste et combatif)

CGT : Confederación General des Trabajo (Confédération générale du travail)

CONADEP : Comisión Nacional sobre la Desaparición de Personas (Commission nationale sur la disparition de personnes)

CTA : Central de los Trabajadores Argentinos (Centrale des travailleurs argentins)

FREPASO : Frente por un País Solidario (Front pour un pays solidaire)

MTD : Movimientos de Trabajadores Desocupados (Mouvements de travailleurs au chômage)

UCR : Unión Cívica Radical (Union civique radicale)

Table des matières

Avant-propos												7

Introduction											11

Chapitre 1 Le rêve argentin							19
Les avatars d'un pays divisé							26
    La mise en place de l'État-nation				28
    L'avènement de la société plurielle				33
L'irruption du peuple									40
    Perón et le péronisme						41
    L'ère des dictatures							46
Le mythe du destin										52

Chapitre 2 La transition démocratique				55
La parole politique										57
La promesse de Raúl Alfonsín							65
    Le procès des commandants					66
    Le printemps économique						70
    Le projet de société							73
Un gouvernement assiégé								76
    La contre-attaque péroniste					76
    L'insurrection militaire						79
    La crise finale								81

Chapitre 3 Le tournant néolibéral						85
De Perón à Menem										88
Néolibéralisme et néopopulisme							103
Un code identitaire										111

Chapitre 4 La mobilisation populaire					117
Le gouvernement de l'*Alianza*							125

La parole des *piqueteros*   131
La sortie du populisme ?   143

Chapitre 5 La rébellion des « gens ordinaires »   149
Représentation politique et représentations de la politique   152
Un discours de classe moyenne   159
La fin d'une illusion   169

Conclusion Le retour de la politique   175
Le « style K »   177

Bibliographie   183

Annexe
Les présidents argentins (1904-2004)   195
Glossaire   197
Liste des principaux acronymes   197

Chez le même éditeur

Bertrand, Marie-Andrée, *Les Femmes et la criminalité*, coll. « Criminologie », 2003.

Bouvier, Patrick, *Déserteurs et insoumis. Les Canadiens français et la justice militaire (1914-1918)*, coll. « Histoire militaire », 2003.

Canet, Raphaël, *Nationalismes et société*, coédition Chaire MCD, 2003.

Canet, Raphaël, Duchastel, Jules (dir.), *La nation en débat. Entre modernité et postmodernité*, coédition Chaire MCD, 2003.

Coulon, Jocelyn (dir.), *Guide du maintien de la paix 2004*, coédition Cepes, 2003.

Duchastel, Jules (dir.), *Fédéralisme et mondialisation. L'avenir de la démocratie et de la citoyenneté*, coédition Chaire MCD, 2003.

Fortmann, Michel, MacLeod, Alex, Roussel, Stéphane (dir.), *Vers des périmètres de sécurité ? La gestion des espaces continentaux en Amérique du Nord et en Europe*, coll. « Sécurité », coédition Cepes-Gersi, 2003.

Légaré, François, *Terrorisme • Peurs et réalité*, coll. « Sécurité », coédition Gersi, 2002.

Legault, Roch, *Une élite en déroute. Les militaires canadiens après la Conquête*, coll. « Histoire militaire », 2002.

Lemblé, Jean, *Incorporé de force dans la Wehrmacht*, coll. « Mémoire vive », 2002.

Litalien, Michel, *Dans la tourmente. Deux hôpitaux militaires canadiens-français dans la France en guerre (1915-1919)*, coll. « Histoire militaire », 2003.

MacLeod, Alex, Dufault, Evelyne, Dufour, Guillaume F., *Relations internationales. Théories et concepts*, coédition Cepes, 2002.

Piché Allard, Simone, *Une vie. Entre diplomatie et compromis (1909-1995)*, coll. « Mémoire vive », 2002.

Tessier, Manon, Coulon, Jocelyn (dir.), *Guide du maintien de la paix. Textes, documents et sites*, 2003.

Tessier, Manon, *Maintien de la paix. Guide Internet*, coédition Gersi, 2001.

Athéna ÉDITIONS

2004